cabinet des dessins

Pierre Jean David d'Angers (Angers, 1788 – Paris, 1856), *Hippolyte, dit Paul Delaroche.*
Médaillon en bronze, diamètre : 14,8 cm, signé et daté 1832. Musée du Louvre, département des Sculptures, DA 072C

Louis-Antoine Prat

Paul Delaroche

cabinet des dessins

Édition

Musée du Louvre
Direction de la production culturelle

Réalisation et coordination
Violaine Bouvet-Lanselle
Chef du service des Éditions

Relectures
Fanny Meurisse

Collecte de l'iconographie
Virginie Fabre
Service Images
et Ressources documentaires

Le Passage

Suivi éditorial
Marike Gauthier

Graphisme et mise en page
Barthélemy Chapelet

Corrections
Irène Colas

www.louvre.fr
www.lepassage-editions.fr

ISBN musée du Louvre : 978-2-35031-367-2
ISBN Le Passage : 978-2-84742-3

Le papier nécessaire à cette édition
a été fourni gracieusement par Arjowiggins

Remerciements

Toute ma gratitude va à Federica Mancini, chargée d'expositions au Louvre, pour son aide aussi constante qu'efficace à tous les stades de ce projet. Je remercie également Carel van Tuyll, Dominique Cordellier et Laurence Lhinares.

Sommaire

Paul Delaroche (Paris, 1797 – Paris, 1856), L'*Exécution de Lady Jane Grey*, 1833. Huile sur toile, 251 x 302 cm. Londres, National Gallery, NG 1909.

Il n'est pas un visiteur de la National Gallery de Londres qui n'ait remarqué, dans la salle consacrée à la peinture française du XIXe précédant l'impressionnisme, au moins trois tableaux : le *Portrait du baron Schwiter* par Delacroix, acquis par l'institution britannique contre le Louvre lors de la vente aux enchères des collections de Degas en 1918, le *Portrait de Mme Moitessier assise* d'Ingres, que la National Gallery acheta à Paris en 1936, et, comme une sorte de trait d'union entre ces deux toiles, d'un format si imposant qu'elle en devient automatiquement l'élément central de la salle, l'immense *Exécution de Lady Jane Grey* de Paul Delaroche.
Ce n'est peut-être pas un hasard si l'œuvre la plus frappante de ce peintre, bien moins célébré que ses deux illustres contemporains, le parangon de l'élan romantique et le tenant de l'académisme modernisé, semble placée là pour constituer une sorte de *juste milieu* entre ces deux mouvements antagonistes, puisque l'on baptise ainsi la tendance stylistique pratiquée par Paul Delaroche.
Curieusement, la peinture de Delaroche quitta la France dès 1870, à l'issue de la vente publique des collections de son commanditaire, le comte Demidoff. Elle fut léguée à la National Gallery en 1902, transférée à la Tate Gallery of Millbank deux jours plus tard, endommagée par le débordement de la Tamise en 1928, déclarée ruinée en 1958, puis restaurée après sa redécouverte dans les réserves de l'institution, devenue depuis la Tate Gallery ; c'est en 1973 qu'elle fut restituée définitivement à la National Gallery. Depuis cette date, le tableau ne cesse de séduire ou en tout cas d'interroger un nombre toujours croissant de visiteurs, à tel point qu'une exposition-dossier lui a été consacrée en 2010 à Londres, accompagnée d'un catalogue aussi élégant qu'érudit.
Le fait que le Louvre, qui bénéficie quant à lui d'un magnifique ensemble de peintures de Delaroche, mais aussi d'un fonds inégalé de ses dessins, ait décidé de montrer au printemps 2012 une sélection des meilleures créations graphiques de l'artiste a suscité chez nos amis d'outre-Manche suffisamment d'enthousiasme – envers le projet et envers l'artiste, également très bien représenté à la Wallace Collection – pour autoriser le prêt temporaire de cette peinture séminale et si spectaculaire. Sa présence sur nos cimaises vient ainsi renforcer notre rétrospective graphique du plus bel hommage que l'on aurait pu rêver de rendre à ce peintre, champion de l'historicisme, et sans doute l'un des plus fameux *inventeurs d'images* du siècle, avec des œuvres comme *Les Enfants d'Édouard* ou *L'Assassinat du duc de Guise*, qui ont marqué l'enfance de tout écolier.
Notre très grande reconnaissance s'adresse à Nicholas Penny, directeur de la National Gallery de Londres, qui a si généreusement accepté de nous prêter cette œuvre insigne pendant la durée de notre exposition.

Henri Loyrette
Président-directeur du musée du Louvre

« Mais avec lui, on ne sait jamais où l'on en est »

(Lettre de Louise Delaroche-Vernet, épouse du peintre, à Labouchère, 16 août 1844)

Offrir au Louvre son propre portrait, dessiné par un grand artiste, peut être flatteur pour le modèle, mais aussi s'avérer une brillante façon de faire entrer le dessinateur en question dans les portefeuilles du musée. C'est ce que fit en 1875 Jules Jauvin d'Attainville (1803-1875), dont le legs comprenait plusieurs œuvres d'Hébert et de Lami, ainsi que cinq dessins de Paul Delaroche : l'autoportrait de l'artiste, de profil, accompagnait le portrait du légataire (ici n° 46), auquel étaient jointes une jolie feuille d'études pour *La Jeune Martyre* (ici n° 11), peinture séminale toujours admirée sur les cimaises du pavillon Denon, une faible copie d'après un *Gladiateur mourant* (RF 369) et une étonnante page où se rencontrent une étude de sainte femme agenouillée face au tragique spectacle de la montée au calvaire, entrevu à travers une fenêtre, et une fort amusante évocation du peintre lui-même, épuisé par son labeur (ici n° 12).
Ce furent là les premiers dessins de Delaroche à entrer au Louvre, près de vingt ans après sa mort. Ils furent suivis rapidement par le célèbre don en 1883 de la collection Coutan-Hauguet-Schubert-Milliet : celui-ci contient deux dessins de Delaroche, le *Portrait de M. Coutan*, relevé de pastel (ici n° 43), et la grande aquarelle de *Richelieu remontant le Rhône* (ici n° 23).
L'année 1887 fut l'occasion d'un premier legs, restreint à quatre pièces, des descendants de Paul Delaroche ; le petit-fils de celui-ci, Horace-Paul Delaroche-Vernet, légua en effet au musée ces quatre feuilles avec une réserve d'usufruit en faveur de sa mère, qui y renonça aussitôt. Le lot comprenait le *Portrait de M. Feuillet* (ici n° 45), une belle feuille d'études pour *L'Exécution de Lady Jane Grey* (ici n° 20) et deux recherches pour *Le Dernier Adieu des Girondins* (RF 1728 et ici n° 36).
Le Louvre acquit ensuite, en 1906, d'un M. Delore, le *Portrait de Sauvageot* (RF 3348) ; nul doute que ce soit l'intérêt pour le modèle qui ait suscité l'achat, car le dessin en lui-même, loin d'être un des meilleurs portraits dessinés de Delaroche, est malheureusement déprécié par un fort mauvais état du support, le papier étant traversé de rigoles sinueuses qui en gênent la lecture. Mais il s'agissait d'une acquisition extrêmement significative pour le musée, qui avait reçu en don en 1856 la fabuleuse collection d'objets d'art réunis par ce modèle du *Cousin Pons* de Balzac. Un autre portrait dessiné de Sauvageot, dû à Henriquel-Dupont qui fut un proche

de Delaroche et grava d'après lui, est également conservé au Louvre (RF 3349), et est entré en même temps dans nos collections.

En 1917, Georges Montfort, le fils du peintre orientaliste Antoine-Alphonse Montfort (1802-1884), offrait au Louvre le portrait de son père, un des chefs-d'œuvre de Delaroche dans le domaine du portrait dessiné (ici n° 44). Rappelons à cette occasion que le fonds graphique de Montfort au Louvre se compose de plus de mille feuilles et n'a pas encore été étudié de façon approfondie.

Ce don était suivi en 1929 par celui du docteur et de Mme Pierre Marie d'un petit *Portrait de Guizot*, accompagné de la gravure par Riffaut (RF 12843 et RF 12843 bis). Mais cette aquarelle gouachée pose problème, dans la mesure où elle reproduit une œuvre de Delaroche et jusqu'à sa signature, mais comporte également en dessous de celle-ci un monogramme *E.O.* à l'encre rouge avec la date de 1890 ; la facture de l'aquarelle n'ayant rien à voir avec celle de Delaroche, il nous semble possible de la considérer comme une copie réalisée à la fin du XIXe siècle par un anonyme qui reste encore à identifier.

De même le legs Bellet en 1938 fut-il l'occasion de faire entrer au Louvre sous le nom de Delaroche un album de petits dessins reliés sur onglets (RF 29185 à RF 29215) qui reviennent en fait à son beau-père Horace Vernet.

Le plus grand enrichissement du Cabinet des dessins du Louvre fut causé en 1971 par un geste extrêmement généreux de la descendante de l'artiste, Mme Albert Sancholle-Henraux, née Delaroche-Vernet. Veuve de l'ancien président du Conseil artistique des musées nationaux et de la Société des Amis du Louvre, cette grande donatrice offrit en effet cette année-là plus de sept cents feuilles de son aïeul (RF 34772 à RF 35489 bis). Le fonds se compose de dessins isolés et d'autres montés en série sur de grandes feuilles de carton mince, généralement disposés par thèmes ou en relation avec le tableau qu'ils préparent. On relève aussi la présence de nombreux calques, souvent en mauvais état, et de deux esquisses à l'huile sur papier brun, très abîmées, en relation avec le grand tableau du musée-château de Versailles *Charlemagne traversant les Alpes*.

Avec cette donation, le Louvre se trouve détenir le principal ensemble au monde d'œuvres graphiques de Delaroche. Mais il ne faut pas négliger un très important groupe de dessins demeuré jusqu'à il y a peu de temps dans les collections familiales ; ces œuvres sont en partie connues par une campagne photographique du musée Getty et de la Caisse nationale des Monuments historiques effectuée en 1983 et dont des épreuves sont consultables à la documentation du département des Arts graphiques du Louvre. Signalons encore qu'une partie du fonds familial fut présentée en vente à l'Hôtel Drouot à Paris le 27 avril 1994 (Mes Couturier et de Nicolay, nos 60 à 89 et 147 à 150), le tout représentant plus de cent trente dessins, certains de nouveau collés à plusieurs sur une même planche de support cartonné.

Enfin, Mme Sancholle-Henraux consentit en 1982 au Louvre un autre don de dix dessins de Paul Delaroche (RF 39000 à 39009), réunis sur une seule grande planche cartonnée et liés au tableau de *Bonaparte franchissant les Alpes*, entré dans les collections de peinture du musée à la même date. C'est d'ailleurs en relation avec ce même tableau que la galerie de Bayser offrit un dessin préparatoire en 1991 (ici n° 37). Il faut encore signaler une petite étude, *Portrait de jeune femme*, faisant partie de la Récupération artistique d'après-guerre et inventoriée sous le numéro Rec 99. On pourrait peut-être le rapprocher, au moins par la coiffure, du *Portrait de Mlle Henriette Sontag*, une célèbre cantatrice, exécuté à l'huile en 1831, disparu à Dresde en 1945 mais connu par une réduction à l'Ermitage de Saint-Pétersbourg et par la gravure d'Alexis-François Girard[1]. Mais il pourrait également s'agir de l'amie de cœur de Delaroche en 1832, la sociétaire de la Comédie-Française, Mlle Anaïs, dont un joli portrait dessiné et relevé de pastel, en mains privées, évoque des traits assez semblables[2].

*

Voyez Henri VIII d'Angleterre, ce roi tueur de femmes. Le voici siégeant face à nous, énorme, engoncé dans son trône, dans une pose d'une parfaite frontalité ; il est entouré de quatre figures féminines à peine esquissées qui tendent les bras vers lui jusqu'à le toucher, caresse ou supplication. Sur cette petite feuille dessinée à la seule sanguine, Paul Delaroche a placé aux pieds du souverain sinistre une hache et un billot qui lui font comme des emblèmes. À droite du motif principal, on retrouve un croquis du personnage central, le monarque trônant cette fois de profil, une femme étendue morte à ses pieds. Le nom d'une de ses épouses suppliciées, Catherine Howard, se trouve inscrit au-dessus du petit groupe. Et puis, à gauche de la même feuille, on découvre une autre figure agenouillée – féminine encore, mais cette fois décapitée (Anne Boleyn, qui sait ?), tendant sa tête au bout de ses bras comme pour la présenter à son inexorable époux. Près de deux siècles plus tard, aucune image du feuilleton télévisé des *Tudors* ne saura retrouver la force de celle-ci, pourtant si figée dans son audacieuse évocation du roi sanglant.
Ce petit dessin[3], en collection particulière, ne fait pas partie des collections du Louvre et ne peut donc être présenté dans la rétrospective que le musée consacre aujourd'hui aux dessins de Delaroche, la première de ce genre pour un artiste dont on a surtout revu ces dernières années des peintures. Il résume cependant à la perfection tout l'intérêt de l'œuvre graphique de Delaroche, avant tout des *mises en scène* d'une intensité rarement égalée. Pour l'artiste, le sens de l'histoire, c'est avant tout celui d'une formule selon laquelle l'événement lui-même (souvent si décrié par l'historiographie moderne passionnée du quotidien) demeure chargé d'une signification déterminée ; de plus, en son déroulement, se situe un moment parfait, idéalement frappant, que l'artiste se doit de ressusciter, transformant l'instantané du passé en un spectacle à jamais figé.
Qui, à l'époque, aurait osé imaginer cette figure d'une femme décapitée tendant sa tête vers celui qui a ordonné son supplice ? Cette *invention* dépasse de loin ce que les deux grands rivaux de Delaroche, tels qu'ils furent

désignés selon la critique de l'époque qui le plaça souvent entre eux deux (comme elle le fera également de Chassériau), auraient jamais osé entreprendre. Car, si Ingres et Delacroix constituent bien les deux pôles éloignés d'un espace artistique dont Delaroche aurait occupé, selon la formule convenue de l'époque, le *juste milieu*, leur faculté d'imagination, que celle-ci soit pénible et lente comme chez l'auteur de *L'Apothéose d'Homère*, ou au contraire fougueuse et vivace comme celle du peintre de *Sardanapale*, ne les aurait jamais conduits en un tel territoire inconnu.

C'est pourtant comme un « pur classique » (on rappellera que Delacroix aussi se voulait tel) que Delaroche a commencé sa carrière ; et il est notable qu'on ne recense guère de dessins liés à ses premiers succès en peinture – ou qu'on ne les ait pas retrouvés. Élève de Watelet puis du baron Gros, Delaroche néglige la voie royale du concours du prix de Rome après une tentative malheureuse au concours du paysage de 1818, et débute au Salon de 1822 avec une composition religieuse, *Joas dérobé au milieu des morts par Josabeth sa tante* (musée de Troyes), que Géricault louera devant son ami Montfort (ce même Montfort dont nous retrouvons au Louvre le beau portrait dessiné par Delaroche, ici n° 44...). C'est encore Géricault, alors malade, qui le complimentera sur ses dessins (dont l'un est conservé au musée d'Orléans) pour le *Saint Vincent de Paul prêchant en présence de la cour de Louis XIII pour les enfants abandonnés* (perdu), l'une des quatre toiles qu'il expose au Salon suivant, celui de 1824. Parmi les autres peintures présentées par le jeune artiste, on retiendra la charmante composition d'esprit troubadour, participant de cette légende dorée des peintres si en vogue à l'époque, *Filippo Lippi devient amoureux de la religieuse qui lui servait de modèle* (Dijon, musée Magnin), et surtout la *Jeanne d'Arc malade est interrogée dans sa prison par le cardinal de Winchester* du musée de Rouen.

L'énorme toile figure en bonne place sur l'œuvre rétrospective de Heim représentant *Charles X distribuant des récompenses aux artistes à la fin du Salon de 1824* (Louvre), et l'on y distingue son auteur juste en dessous du tableau, à l'aplomb de celui-ci, qui est accroché cadre contre cadre avec *Le Vœu de Louis XIII* d'Ingres. Déjà, l'œuvre met en scène une future suppliciée, et, si l'on ne lui connaît pas de dessin préparatoire, une reprise à la plume et au lavis de la composition, peut-être autographe et en tout cas destinée à la gravure, a été acquise récemment par l'Ashmolean Museum d'Oxford[4].

On connaît tout aussi peu de dessins pour les œuvres des années immédiatement postérieures, *Les Suites d'un duel* ou *La Mort d'Augustin Carrache*. Du *Portrait de Casimir Delavigne* de 1826, un écrivain à qui l'on reprochera le même éclectisme qu'à Delaroche, on peut rapprocher un dessin daté de la même année et encore en mains privées, inaugurant cette belle série de portraits au graphite, souvent relevés de pastel et estompés, dans laquelle Delaroche excellera. En 1827, outre *La Mort du président Duranti* et *Le Jeune Caumont La Force sauvé*, deux épisodes des guerres de Religion, Delaroche s'affirme dans le registre contemporain avec *La Prise du*

Trocadéro par le duc d'Angoulême (Versailles), d'une ordonnance néanmoins assez conventionnelle et manquant d'une réelle tension interne, tout comme le dessin correspondant aujourd'hui à Paris dans la collection Pébereau. Puis, en 1829, ce sera l'imposant *Portrait du marquis de Pastoret* (Boston) et, commencée en 1830, la représentation des *Vainqueurs de la Bastille* (Paris, Petit Palais), dont on peut s'étonner du *moment* choisi, le retour des émeutiers dans l'hôtel de ville, une composition bizarre dont les personnages paraissent comme autant d'anti-héros. L'œuvre ne sera achevée, avec l'aide de Robert-Fleury, qu'en 1839. Un croquis assez précis du Louvre en détaille finement un groupe (ici n° 34). Enfin, arrivée en retard au Salon, on remarqua la grande composition assez touffue de la *Mort d'Elisabeth, reine d'Angleterre* (Louvre), dont la collection Bonnat à Bayonne conserve trois croquis préparatoires.

C'est en fait au Salon de 1831 que Delaroche s'affirme définitivement, présentant des œuvres aussi célèbres que *Les Enfants d'Édouard* (Louvre), dont les seules minuscules études connues sont conservées au Fogg de Cambridge (États-Unis), depuis toujours sous le nom de François Bonvin[5], ou que *Le Cardinal de Richelieu remontant le Rhône* (Londres, Wallace Collection) dont on verra ici l'aquarelle correspondante (n° 23). À cette composition funèbre, où une mort prochaine attend aussi bien les jeunes condamnés que le vieillard tout-puissant qui vient de rendre la sentence, répond une évocation presque sereine de l'autre ministre-prélat, *Le Cardinal Mazarin mourant* (*idem*, Wallace Collection), entouré de ses nièces et de courtisans plus ou moins empressés. Des portraits peints (*Mlle Sontag*, voir *supra*) ou dessinés (ce qui était rare au Salon, mais sans doute l'artiste était-il satisfait de leur qualité) complètent ce fort envoi, que couronne le *Cromwell devant le cercueil de Charles Ier* (Nîmes, musée des Beaux-Arts), première des multiples incursions de notre artiste dans l'histoire de la guerre civile anglaise. Le dialogue muet entre le visage de Cromwell (« brutal comme un fait », selon la belle formule d'Henri Heine) et celui du roi-chevalier de Van Dyck transformé en martyr christique demeurera une des images les plus connues de la peinture du siècle, alors que l'interprétation qu'en donnera Delacroix, dans une aquarelle de la même année 1831, avec le lord-protecteur contemplant de loin le cercueil entièrement ouvert, semble n'évoquer qu'une visite obligée à un défunt anonyme. Là encore, les dessins de Delaroche brillent par leur absence dans les collections du Louvre, bien que le Victoria & Albert Museum conserve une superbe étude pour la tête d'Oliver Cromwell.

Élu en 1832 à l'Académie des beaux-arts au fauteuil du très néoclassique Meynier, Delaroche se trouve être à trente-cinq ans le plus jeune membre de cette illustre compagnie. En 1834, il triomphe une nouvelle fois au Salon avec un *Galilée*, et surtout avec l'immense *Exécution de Lady Jane Grey*, acquise par le comte Demidoff dès l'année précédente, et destinée à devenir et à demeurer jusqu'à nos jours une image séminale, malgré ses mésaventures à venir, puisqu'elle fut endommagée à Londres par une inondation en 1928 et déclarée irrécupérable en 1958, avant d'être soigneusement restaurée.

La peinture emporta immédiatement l'adhésion d'un public qui demeura peu réceptif à l'œuvre d'Ingres qui la concurrençait par les dimensions comme par l'ambition, *Le Martyre de saint Symphorien* (Autun, cathédrale). L'épisode historique représenté n'était pourtant reconnaissable que par une poignée d'érudits, puisqu'il concernait une petite-nièce d'Henri VIII mise à mort en 1554 sur l'ordre de Marie Tudor. Mais la jeunesse de la martyre, sa soumission, son aveuglement (les yeux bandés, elle cherche le billot des mains), la commisération exprimée par le lord lieutenant de la tour de Londres comme par le bourreau, et surtout la douleur des deux suivantes, portée à un point extrême d'expression, rendaient l'image inoubliable pour chaque spectateur, que l'on connaisse ou non le détail historique qu'elle illustrait. Car si Delaroche devenait ainsi, toujours selon un mot de Heine, « le peintre des célébrités (ou des "royautés") décapitées », c'était avec l'évocation d'une reine de neuf jours qui régna trop peu de temps pour ne pas être aussitôt oubliée...
Stephen Bann a récemment démontré qu'une jeune sociétaire du Théâtre-Français, Mlle Anaïs, très proche de Paul Delaroche (nous sommes ici quelques mois avant sa rencontre avec Louise Vernet), avait posé pour le personnage central. Une étude dessinée de nu, probablement d'après la jeune femme, est conservée en mains privées (Bann, 1997, p. 123 fig. 61).
Théophile Gautier eut beau reprocher à Delaroche d'avoir *écrit* son tableau plutôt que de l'avoir peint, beaucoup de spectateurs épris d'historicisme et marqués par une sensibilité « juste milieu » le jugèrent à la fois étonnamment suggestif et d'une belle et solide facture, dont témoignent les quelques dessins du Louvre présentés ici (n°s 20 et 21). Suffisamment imposant, en tout cas, pour qu'Adolphe Thiers, alors ministre de l'Intérieur, voie dans le peintre le candidat idéal pour mener à bien une décoration qui faisait à l'époque rêver nombre de ses concurrents, celle de l'intérieur de l'église de la Madeleine à Paris, qui venait d'être achevée sur les plans de Vignon. Il s'agissait d'orner de peintures relatives à la vie de la sainte pécheresse six grandes lunettes réparties des deux côtés de la nef centrale, de cinq mètres de haut sur dix de long chacune, ainsi que l'immense cul-de-four au-dessus de l'abside. Voulant retrouver dans la conception de ce grand œuvre la pureté de langage des primitifs italiens, Delaroche prit alors la décision de partir pour l'Italie. Le voyage, qui devait durer exactement une année (20 juin 1834-20 juin 1835) lui apporterait plus qu'il ne devait l'espérer, puisqu'il y trouva non seulement des modèles esthétiques, anciens mais aussi nouveaux, copiant quantité d'œuvres, ce dont le Louvre possède quelques rares exemples à l'aquarelle (ici n°s 47 et 48), découvrant aussi de nouvelles figures vivantes, notamment les moines camaldules à Vallombrosa, ou encore les pèlerins à Rome dont le pittoresque l'enchanta. Mais ce séjour fut aussi pour lui l'occasion de se laisser aller au plus italien des sentiments, l'amour, lorsqu'il retrouva à Rome à la Villa Médicis la jeune Louise Vernet dont le père, le fameux peintre de la *Smala d'Abd-el-Kader*, Horace Vernet, assumait pour la dernière année les fonctions de directeur dans lesquelles Ingres allait bientôt le remplacer. Ce fut en octobre 1834 qu'eut lieu cette seconde rencontre (Delaroche l'avait déjà dessinée

six ans auparavant) entre l'artiste et une jeune fille également célébrée par le beau portrait peint qu'en avait fait son père (Louvre) et qui allait être bientôt immortalisée par Ingres dans une sublime effigie dessinée (New York, collection Woodner) que le Montalbanais traça d'elle aux premiers jours de 1835, peu avant son mariage à l'église Saint-Louis-des-Français le 28 janvier.

Des deux fils qui naquirent de cette union, plusieurs fois portraiturés par leur père, le premier est également représenté dans les bras de sa jeune mère dans la ravissante statuette en ivoire exécutée par Barre et que conserve le Louvre ; il en fut tiré des versions en bronze, et Delaroche manifesta sa reconnaissance envers Barre par deux portraits dessinés en médaillon respectivement datés de 1843 et de 1845, le premier toujours en mains privées, le second conservé à la Monnaie de Paris. Quant à l'ultime effigie de la tendre Louise (Nantes, musée des Beaux-Arts), elle sera peinte par son époux devant sa dépouille mortelle, la présentant étendue de profil, à mi-corps, le visage aux yeux grands ouverts surmonté de l'auréole réservée aux saintes martyres.

Si Delaroche copia les primitifs avec toute la méticulosité d'un enlumineur, c'est d'un crayon assez sec, heureusement relevé fréquemment de lavis brun de deux tons, qu'il conçoit les décors de la Madeleine, en des feuilles cintrées du haut et conservées au Louvre, que Thiers annote d'un autoritaire « Approuvé » (ici n°s 2 et 3), suivi de son paraphe. Mais entre le ministre et l'artiste se creuse une faille irrémédiable dès que ce dernier apprend que va lui échapper, au profit de Jules Ziegler, le décor jugé le plus important de la nouvelle église, celui du cul-de-four. Dès lors, dès mars 1835 semble-t-il, Delaroche préfère renoncer à un projet pour lequel il n'était d'ailleurs pas fait (bien que ses essais postérieurs de peinture religieuse soient d'une autre et bien supérieure vérité ressentie, comme le notera avec justesse un Barbey d'Aurevilly, sachant percevoir la souffrance nouvellement éprouvée par Delaroche après la perte de sa femme).

C'est dans un tout autre registre que Delaroche triomphe encore une fois au Salon parisien avec *L'Assassinat du duc de Guise* (Chantilly, musée Condé), immédiatement acquis par le jeune duc d'Orléans qui le placera dans ses collections en pendant de la *Stratonice* d'Ingres. Encore une fois, les dessins préparatoires (Nantes, Victoria & Albert Museum de Londres, Fitzwilliam de Cambridge et Varsovie !) brillent par leur absence dans le fonds du Louvre. Celui-ci, en revanche, possède nombre d'éléments relatifs au grand œuvre de Delaroche dans le domaine de la peinture décorative, cette fois mené à terme, l'hémicycle de la salle des Récompenses de l'École des beaux-arts, qui lui est commandé en septembre 1836, destiné au lieu même dans lequel il professe désormais un enseignement suivi par de très nombreux élèves.

Duban venait d'achever cette salle à l'espace courbe, dont Delaroche devait couvrir près de cent mètres carrés de muraille, en une frise de vingt-cinq mètres de long sur quatre mètres de haut. Le peintre conçut le déroulement de sa frise à partir d'un centre d'où se développeraient deux ailes au long desquelles s'aligneraient les plus célèbres maîtres de l'histoire de la peinture, répartis entre coloristes et dessinateurs (un peu à la Roger de

Piles…), mais aussi des sculpteurs, architectes et graveurs, se côtoyant sans souci de chronologie, de rapprochements stylistiques ou d'implantations géographiques. Le gradin central était réservé à la triade des artistes antiques les plus fameux dans les trois arts que commande le dessin – l'architecture avec Ictinos, la sculpture avec Phidias et la peinture avec Apelle –, entourée de représentations allégoriques féminines des arts grec et romain, médiéval et Renaissance, ces deux dernières figures étant inspirées de Louise Delaroche et de la comtesse de Fitz-James. À leurs pieds, une Renommée dénudée distribue des couronnes. Dans l'un des premiers projets dessinés (RF 35314), les frises des deux côtés pénétraient jusqu'à cette zone réservée, et deux peintres modernes (avec deux figures angéliques esquissées derrière eux) se situaient à même la tribune, côtoyant les trois maîtres de l'Antiquité. Ils en sont en fait séparés par deux blocs de pierre cubiques sur lesquels reposent la maquette d'une cathédrale, à gauche, et ce qui semble être une planchette à dessin à droite, sous le bras gauche de la représentation de l'art renaissant.

Trente-trois artistes s'échelonnent dans la partie gauche, et trente-quatre dans la partie droite. Un dessin du Louvre (RF 35329) prouve que la liste des retenus – comme chez Ingres lorsqu'il dessina l'*Homère déifié* ou l'*Apollon couronnant Gluck et Mozart*, deux célèbres dessins du Louvre – donna lieu à bien des hésitations. Charles Le Brun, par exemple, dont la présence était alors envisagée, se trouva finalement éliminé. Le musée de Nantes possède des esquisses peintes de l'ensemble, et l'École nationale supérieure des beaux-arts a pu se porter acquéreur des grands cartons réapparus en vente en 1994. Au Louvre, outre deux minuscules mises en place d'ensemble dans lesquelles Delaroche s'essaie alternativement à la plume relevée de lavis brun (ici n° 40) et au seul graphite, on décompte plus d'une vingtaine de représentations dessinées de figures isolées, dont quatre sont ici retenues (ici n°s 42a à d), ainsi qu'une recherche pour un groupe partiel (ici n° 41).

L'étrange parti pris de « sainte conversation » entre des artistes sans relation réelle, le choix ambigu de maîtres parfois secondaires (Van der Elst apparaît entre Rubens et Rembrandt, et Gérard Edelinck et Marc-Antoine Raimondi à côté de Holbein le Jeune) ne repoussa pas la critique, qui fut dans l'ensemble assez enthousiaste, malgré Baudelaire qui y vit un peu plus tard « une collection de portraits historiques » dans laquelle « les intentions se contredisent ». En fait, les dessins d'ensemble s'avèrent assez remarquables de rigueur dans leur petitesse, tandis que la valeur des études isolées de figures varie du réussi au passable, selon la qualité d'exécution des draperies et le plus ou moins grand intérêt psychologique des visages, atteignant au banal le plus éculé dans la représentation de Nicolas Poussin par exemple, mais superbement expressif dans celui de l'architecte Brunelleschi (ici n° 42c).

L'hémicycle ne fut inauguré qu'en juillet 1841. Mais dès 1837, dans ce qui devait être son ultime participation au Salon, Delaroche avait de nouveau créé l'événement avec plusieurs portraits et une *Sainte Cécile*, et surtout deux puissantes évocations de la guerre civile anglaise, portant sur les moments précédant de peu la marche à

l'échafaud de leur principal protagoniste, *Le Comte de Strafford béni par l'archevêque Laud avant son exécution* et *Charles Ier moqué par les soldats de Cromwell.* Deux grandes toiles longtemps crues perdues, mais popularisées par les gravures Goupil. Dans la première, le génie de metteur en scène de Delaroche éclate, ne laissant voir de l'archevêque qui bénit le condamné que deux mains tendues à travers une lucarne grillagée. Quant à la seconde, représentation d'une sorte de Christ aux outrages transposé dans une taverne à la Van Ostade, le Louvre peut en faire saisir par tout un groupe de dessins préparatoires à quel point sa genèse fut empreinte d'une audacieuse modernité (ici nos 24 à 28).
À cette époque de bonheur familial, Delaroche produit également des peintures de chevalet où le prétexte plus ou moins historiciste se conjugue avec le simple plaisir de célébrer l'enfance et les joies de la maternité. L'acmé de cette tendance est sans doute constitué par la délicieuse *Enfance de Pic de La Mirandole* de 1842 (musée des Beaux-Arts de Nantes), mais bien d'autres peintures, parfois inscrites dans des *tondi*, à sujets de mères et d'enfants, reprennent ce même thème de la mère heureuse.
Ayant décidé de ne plus exposer au Salon après 1837, Delaroche accepte de participer à la grande entreprise lancée par Louis-Philippe, la décoration des salles du Musée historique de Versailles, avec plusieurs peintures à sujets mérovingiens ou carolingiens. Si une étude peinte pour *Le Baptême de Clovis*, d'une grande banalité, est récemment réapparue (vente Paris, Hôtel Drouot, 29 novembre 2000 n° 119, repr. coul.), l'artiste ne mènera à bien qu'une unique grande toile, *Charlemagne traversant les Alpes*, aujourd'hui roulée et dans laquelle il est évident qu'il ne s'est guère senti à l'aise, évoquant selon une longue diagonale ascendante le passage d'une troupe de combattants entremêlés. Les quelques dessins préparatoires que conserve le Louvre, tracés d'une pointe de graphite particulièrement incisive, contrastent avec la lourdeur de deux esquisses peintes à l'huile sur papier brun, entrées avec la donation de 1971 et malheureusement dans un état assez avancé de délabrement. À l'évidence, le talent de Delaroche ne correspondait pas à ce registre de la peinture d'histoire lorsqu'elle célèbre des actions héroïques dont tout sentiment de perte, d'abandon, de culpabilité ou d'angoisse se trouve évacué au profit de la pure exaltation de la gloire guerrière, comme on pouvait déjà le ressentir devant *La Prise du Trocadéro*. Ce fut d'ailleurs l'élève de Delaroche, Jean-Léon Gérôme, qui acheva en 1847 cette immense composition.
Entre-temps, l'artiste avait été frappé par une tragédie qui allait changer sa vie, la mort de son épouse Louise le 18 décembre 1845. Dès lors, il s'oriente vers des sujets religieux parcourus de tensions morbides, comme le laissait déjà présager la sublime *Hérodiade* de 1843 (Cologne, Wallraf-Richartz Museum). Entre des séjours à Rome et à Nice se multiplient les peintures, souvent de dimensions moins ambitieuses, et les études dessinées consacrées à la Passion du Christ, mais aussi aux épreuves subies par des célébrités historiques. Ainsi, il est patent que Delaroche cultivait pour Napoléon un intérêt tout particulier et frisant l'obsession, jusqu'à tenter de lui ressembler physiquement, au moins par la coiffure. Traitant le Premier consul comme une figure aussi

mélancolique que peu glorieuse dans le *Bonaparte franchissant les Alpes* de 1848 (Louvre), en vaincu effondré dans le *Napoléon à Fontainebleau* de 1845 (Paris, musée de l'Armée), que rejoint une belle planche de croquis du Louvre traitant plus spécifiquement du thème des *Adieux* après la première abdication (ici n° 38), il achève son évocation en le montrant livré à la solitude de l'exil prométhéen de Sainte-Hélène (peinture chez S.M. la reine d'Angleterre), sujet repris dans des dessins aux fascinantes variations (ici n° 39). Il s'attachera également (ici n° 36) aux derniers moments des Girondins (une étude dessinée pour l'ensemble de la composition a été acquise en 1997 par la National Gallery of Scotland à Édimbourg), à ceux de Marie-Antoinette (deux études pour les gardes au Louvre, RF 35072 et RF 35073) ou à ceux de Béatrice Cenci et de sa malheureuse famille (ici n°s 18 et 19), œuvre perdue mais popularisée, comme tant d'autres chez Delaroche, par des gravures en noir ou coloriées. *La Jeune Martyre* de 1855 (Louvre) semble résumer toute l'angoisse des années douloureuses où le sentiment d'un destin accompli prend la forme si romantique d'une irrémédiable *acedia*.

*

Il est bien sûr peu d'exemples d'un œuvre artistique si apprécié du vivant de son auteur et qui fut par la suite si rapidement plongé dans l'oubli. En dehors des planches illustrées du Grand Larousse, évoquant l'histoire de France avec *L'Assassinat du duc de Guise*, Delaroche n'a pratiquement pas connu d'existence posthume jusque longtemps après la fin de la Seconde Guerre mondiale. Ce fut la thèse américaine de Norman D. Ziff, soutenue en 1974 et publiée en 1977, complétée par les notices du même auteur dans la célèbre exposition de 1974-1975 « De David à Delacroix » et un article sur les dessins dans *La Revue du Louvre* en 1975 qui firent réellement revenir Delaroche devant les yeux du public cultivé. Depuis, un dossier sur la *Jeanne d'Arc* présenté à Rouen en 1983, les travaux de Stephen Duffy et de Stephen Bann, ceux du collectif français organisateur de la rétrospective monographique de Nantes et Montpellier en 1999-2000, ou encore le dossier consacré à la *Jane Grey* par la National Gallery de Londres en 2010, ainsi que quelques articles savants relatifs à l'hémicycle de l'École nationale supérieure des beaux-arts, ont fermement rétabli l'image d'un peintre (et d'un dessinateur) adulé avant d'être voué aux gémonies de l'oubli le plus absolu.
Adulé, cependant, Delaroche ne le fut de son vivant que d'une partie de la critique. Comment oublier le jugement d'un Gautier (« Il aurait réussi bien davantage au théâtre... son dessin mou, sa forme veule ou boursouflée, sa couleur plombée ou criarde »...), les qualificatifs cruels d'un Paul Mantz (« Ce n'est ni un coloriste, ni un dessinateur, ni un académique, ni un fantaisiste, c'est un neutre »...) ou encore ceux d'un Gustave Planche qui ne cessa de lui reprocher sa « peinture trop propre » ? Et tandis que le fielleux Viel-Castel soulignait sa ladrerie (*Mémoires*, entrée du 24 mai 1856), les Goncourt, dans *Manette Salomon*, en faisaient « un peintre de prose...

l'habile arrangeur théâtral, le très adroit metteur en scène des cinquièmes actes de chronique »... Quant à Delacroix, qui a entretenu avec lui des liens d'une amitié un peu distante et lui a succédé à l'Institut en 1857, il le juge dans son *Journal* simplement « plat » et déteste son affectation envers « la peinture sérieuse ».
Un grand imagier ? Certes ; mais aussi, pour un regard moderne, un maître véritable de la tension figurée, doté d'un sens de la mise en place qui intègre pensée et pouvoir d'évocation, tout en suscitant une émotion savamment figée. Henry James, en contemplant *Les Enfants d'Édouard*, le reconnaît : « Mais je ressentais pleinement le jeu d'une force inconnue », probablement celle que dégagent peintures comme dessins.
Un « dessin mou » ? On a du mal à croire à l'honnêteté de Théophile Gautier, pourtant indulgent à l'occasion envers l'artiste, devant ce qualificatif apposé comme un stigmate. Ce qui nous paraît caractériser le dessin de Delaroche, c'est bien au contraire son extraordinaire *fermeté*, qui va de pair avec l'usage auquel il le soumet, celui de sujets complexes qu'il lui suffit d'évoquer, par de minuscules croquis aux détails minutieusement sculptés, pour qu'ils acquièrent la pesanteur d'une sorte d'événement antérieur revécu dans le présent. Devant les scènes qu'évoque Delaroche, que ce soit à la plume et au lavis brun, dont il joue avec une habileté déconcertante dans sa précision descriptive, ou au graphite et même parfois à la sanguine, affleure un étrange sentiment, comme la certitude d'une vérité inexorable, d'une présence à laquelle on se sent obligé de croire. Retrouvant quelque chose de la crispation des meilleurs dessins davidiens, Delaroche sait affirmer par des lignes d'une absolue netteté et une profonde intelligence de l'espace que ce qu'il nous donne à voir, même dans des croquis étonnants par leur infinie petitesse, pèse d'un poids bien réel. Comme nous le relevions récemment[6], il demeure à nos yeux « un artiste plus audacieux qu'il n'y paraît au premier abord, et dont l'œuvre graphique doit être réhabilité, bien que contraint et souvent cantonné de lui-même dans un excès de probité académique », appréciation somme toute ambiguë, et qui montre combien son épouse tant aimée avait raison : avec Paul Delaroche, on ne sait jamais vraiment où l'on en est.

Louis-Antoine Prat

1. Cat. exp. Londres 2010, p. 101, n° 52, repr.
2. Cat. exp. Londres 2010, p. 135, n° 73, repr.
3. Cat. exp. Londres 2010, p. 98, n° 49, repr.
4. Cat. exp. Londres 2010, p. 81, fig. 28.
5. Prat, 1997, p. 67-70.
6. Prat, 2011, p. 328.

Biographie

On trouvera une biographie très complète dans le cat. exp. Nantes-Montpellier, 1979, p. 246-259.

1797. Le 17 juillet, naissance d'Hippolyte-Paul Delaroche à Paris ; son père est expert en tableaux au Mont-de-Piété.

1816. Delaroche entre à l'École des beaux-arts, dans l'atelier du paysagiste Watelet.

1817. Échec aux épreuves du concours du Paysage historique.

1818. Delaroche entre dans l'atelier du baron Gros.

1820. *Descente de Croix*, peinte pour la duchesse d'Orléans.

1822. Première participation au Salon, *Joas dérobé au milieu des morts par Josabeth sa tante*.

1824. Delaroche présente au Salon le *Filippo Lippi*, la *Jeanne d'Arc malade* et le *Saint Vincent de Paul*.

1826. *Les Suites d'un duel*, *La Mort d'Augustin Carrache* et le *Portrait de Casimir Delavigne* (à qui on associera souvent Delaroche comme deux exemples du « juste milieu ») sont exposés à la galerie Lebrun au profit des Grecs insurgés.

1827. Il expose au Salon *La Mort du président Duranti, Le Jeune Caumont La Force sauvé, Miss MacDonald, Les Suites d'un duel, La Prise du Trocadéro, La Mort d'Elisabeth*.

1828. Seconde version de *La Prise du Trocadéro*.

1829. *Portrait du marquis de Pastoret*.

1830. *Les Vainqueurs de la Bastille*.

1831. Au Salon, *Les Enfants d'Édouard, Le Cardinal de Richelieu remontant le Rhône, Le Cardinal Mazarin mourant, Cromwell devant le cercueil de Charles Ier, Portrait de Mlle Sontag* et des portraits dessinés.

1832. Élection à l'Institut (Académie des beaux-arts) au fauteuil de Charles Meynier.

1833. Delaroche est nommé professeur à l'École des beaux-arts et reçoit en novembre la commande du décor intérieur de l'église de la Madeleine.

1834. Au Salon, *L'Exécution de Lady Jane Grey*; *Galilée*; *Sainte Amélie*; *La Suite d'un duel*. Le 20 juin, il part pour la première fois en Italie, pour un séjour d'un an ; en décembre, il se fiance à Rome avec Louise Vernet.

1835. Mariage avec Louise Vernet à Rome le 28 janvier. Il peint *L'Assassinat du duc de Guise*. Il renonce à la décoration de la Madeleine après avoir appris que le cul-de-four est confié à Jules Ziegler. Retour à Paris le 20 juin.

1836. Commande de l'hémicycle de l'École des beaux-arts. Naissance de son premier fils, Paul-Horace.

1837. Pour le dernier Salon auquel il participe, Delaroche présente le *Le Comte de Strafford béni par l'archevêque Laud avant son exécution* et le *Charles Ier moqué par les soldats de Cromwell*, une *Sainte Cécile* et trois portraits.

1838. Commande de cinq peintures pour le Musée historique de Versailles ; second voyage en Italie.

1839. *Pierre le Grand*; *Autoportrait*.

1840. Esquisses pour la commande de Versailles.

1841. Naissance de son second fils, Philippe-Grégoire. L'hémicycle de l'École des beaux-arts est inauguré le 12 juillet.

1842. *Les Pèlerins à Rome*; *La Vierge à la vigne*; *L'Enfance de Pic de La Mirandole*.

1843. *Les Joies d'une mère*; *Hérodiade*. Fermeture de l'atelier et départ pour l'Italie.

1844. *Portrait de Lamartine*; *Vierge à l'Enfant*; *Mendiants romains*; *Portrait du pape Grégoire XVI*.

1845. Plusieurs portraits, *Jeune Fille dans une vasque, Jeune Fille à la balançoire (Sarah la Baigneuse), Napoléon à Fontainebleau*. Le 18 décembre, mort de Louise, son épouse, qu'il peint sur son lit de mort.

1846. Plusieurs portraits, dont celui de Pourtalès-Gorgier.

1847. Achèvement, avec l'aide de Jean-Léon Gérôme, de l'immense *Charlemagne traversant les Alpes*; plusieurs portraits.

1848. Les mouvements révolutionnaires de 1848 inquiètent Delaroche, qui passe une partie de l'année au Havre, à Aix-la-Chapelle et à Nice. Première version de *Bonaparte franchissant les Alpes*.

1849. Nouveaux séjours à Aix-la-Chapelle et à Nice.

1850. Séjours à Craon et à Nice. Delaroche peint une seconde version du *Bonaparte franchissant les Alpes*.

1851. *Marie-Antoinette devant le Tribunal*. Seconde version, assez différente de composition, des *Enfants d'Édouard*. Portraits de ses deux fils.

1852. *Napoléon à Sainte-Hélène*; plusieurs portraits. Delaroche est affecté par la perte de son frère.

1853. *Mater Dolorosa*; *Moïse confié aux eaux du Nil*; plusieurs portraits. Séjour à Nice.

1854. Delaroche envisage de rejoindre son ami Ernest Hébert en Italie.

1855. *Le Christ au jardin des Oliviers*; *Béatrice Cenci allant à son exécution*; *La Jeune Martyre*; plusieurs portraits. Un incendie à l'École des beaux-arts endommage le décor de l'hémicycle.

1856. *Le Dernier Adieu des Girondins*; série de petits tableaux religieux de format oblong : *Sainte Véronique*; *Vendredi saint*; *Le Retour du Golgotha*; *L'Évanouissement de la Vierge, La Vierge devant la couronne d'épines*. Delaroche meurt le 3 novembre.

1857. Exposition rétrospective (la première consacrée en ce lieu à un artiste) à Paris à l'École des beaux-arts : soixante et un tableaux et cinquante et un dessins sont recensés dans le livret explicatif (daté du 21 avril), ainsi que quatorze gravures d'après Delaroche ; un appendice recense des ouvrages non exposés. Les 12 et 13 juin, vente à l'Hôtel Drouot d'une partie de l'atelier (quarante peintures et soixante-douze dessins), suivie les 15-17 juin de la dispersion des collections de l'artiste.

PLANCHES

Nota bene

Pour le catalogue, il est apparu préférable de présenter les dessins choisis dans le fonds du Louvre plutôt selon leur genre que d'après une évolution chronologique, qui, dans le cas de Delaroche, ne se refléterait guère dans un style peu changeant. Sont donc catalogués successivement les sujets religieux, les scènes historiques, les recherches pour l'hémicycle de l'École des beaux-arts, les portraits, et enfin un petit groupe d'évocations littéraires et allégoriques, de souvenirs de voyages et de copies (Varia).

1. Montage : deux études pour une *Déposition de Croix*

2. La Conversion de sainte Marie Madeleine

3. Marie Madeleine devant le corps du Christ étendu au pied de la Croix

4. Homme nu étendu, la tête vers la gauche, et études de bras

5. Feuille d'études de draperies

6. Montage : cinq études pour *Hérodiade*

7. Montage : deux études pour la servante d'Hérodiade

8. Étude pour la servante d'Hérodiade

9. Six études pour la tête de saint Jean Baptiste présentée dans un plat, de profil à droite

10. Montage : quatre recherches pour *Moïse confié aux eaux du Nil*

11. Feuille d'études pour *La Jeune Martyre*

12. Vierge agenouillée de profil à gauche et autoportrait caricatural

13. Sainte Véronique présentant le voile à un groupe de personnages agenouillés

14. Montage : feuille d'études de guerriers nus combattant ; feuille d'études de chevaux, de cavaliers et d'une tête d'homme

15. Feuille d'études de chevaux, de cavaliers et de fantassins ; un arbre brisé

16. Montage de huit dessins : la folie de Charles VI

17. Montage : deux études pour *Jeanne d'Arc capturée à Compiègne*

18. Le jugement de Béatrice Cenci (?)

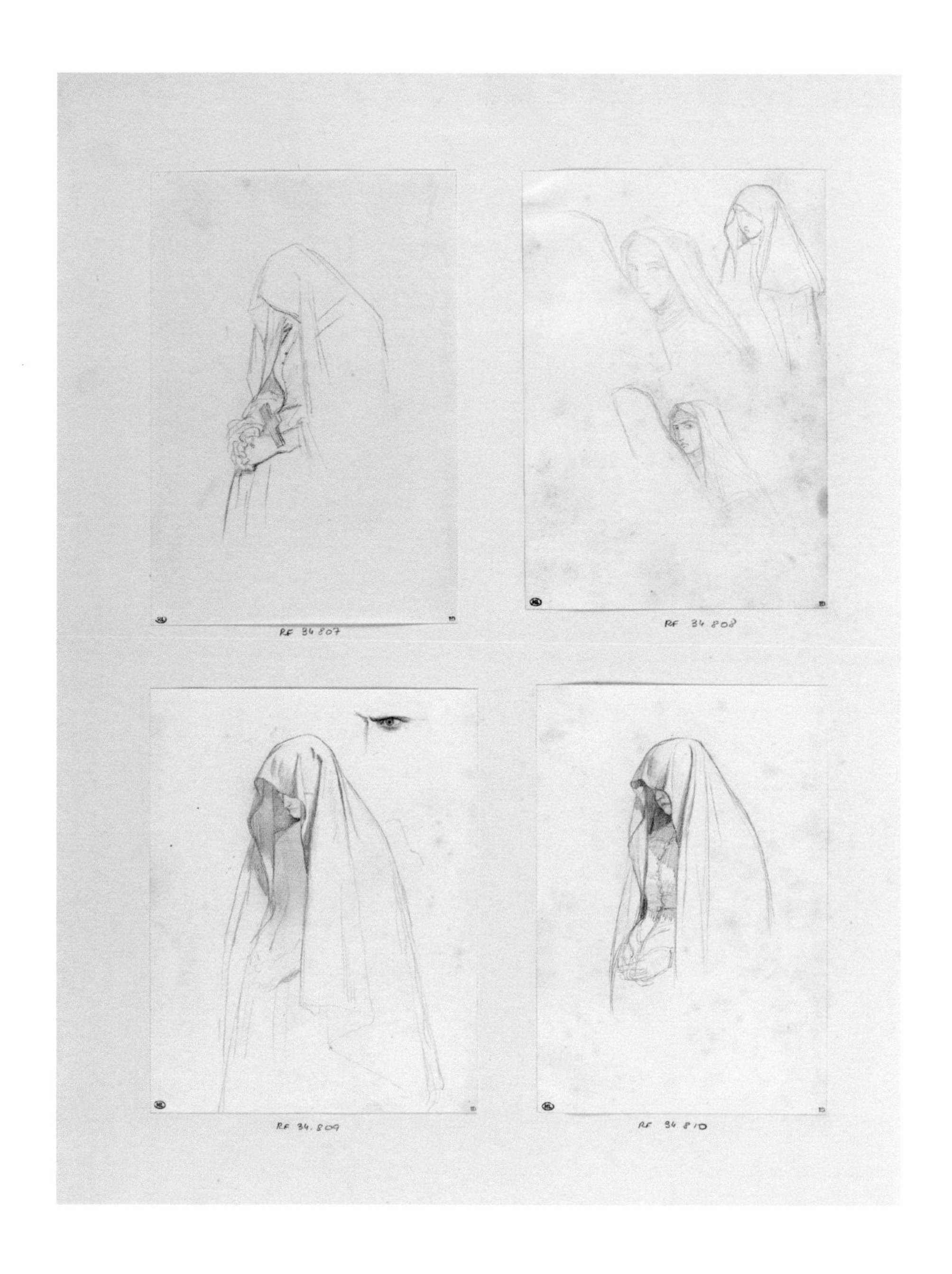

19. Montage : quatre études pour *Béatrice Cenci marchant au supplice*

20. Feuille d'études de trois personnages pour *L'Exécution de Lady Jane Grey*

21. Montage : deux feuilles d'études pour *L'Exécution de Lady Jane Grey*

22. Douze scènes d'époque Renaissance et une étude de tête

23. Richelieu remontant le Rhône

24. Montage : huit études pour *Charles Ier moqué par les soldats de Cromwell*

25. Étude d'ensemble pour *Charles Ier moqué par les soldats de Cromwell*

26. Montage : deux études pour *Charles Ier moqué par les soldats de Cromwell*

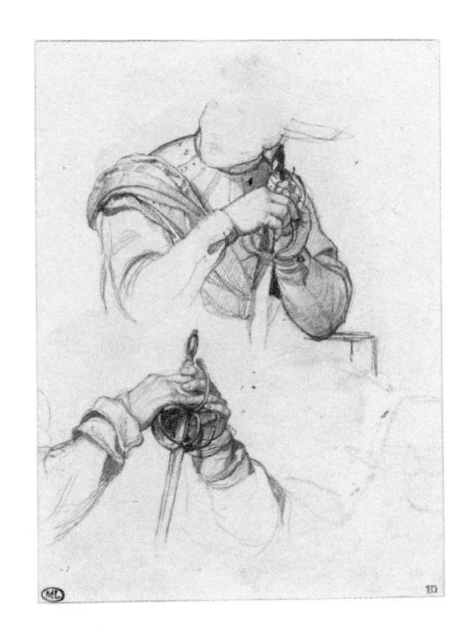

27. Montage : deux études pour *Charles Ier moqué par les soldats de Cromwell*

28. Montage : deux études pour *Charles Ier moqué par les soldats de Cromwell*

29. Henriette de France se cachant des soldats de Cromwell

30. Puget dévoilant devant Louis XIV son *Milon de Crotone*

31. Vue de l'escalier des Cent-Marches à Versailles

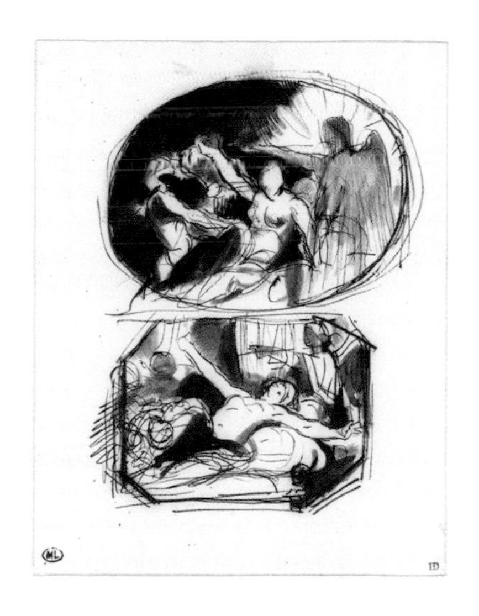

32. Montage : deux études allégoriques

33. La France déplorant la perte de La Pérouse

34. Feuille d'études de figures pour *Les Vainqueurs de la Bastille*

35. Scène de la Révolution française

36. Feuille d'études pour *Le Dernier Adieu des Girondins*

37. Feuille d'études de cavalier et de muletier

38. Montage : six études pour *Napoléon à Fontainebleau*

39. Montage : deux études pour *Napoléon à Sainte-Hélène*

40. Étude d'ensemble pour l'hémicycle de l'École des beaux-arts

41. Groupe de treize artistes

42a, b, c et d. Quatre études de personnages pour l'hémicycle : Fra Angelico, Rembrandt, Brunelleschi, Léonard de Vinci

43. *Portrait de M. Coutan*

44. *Portrait d'Antoine-Alphonse Montfort*

45. *Portrait de M. Feuillet*

46. *Portrait de Jules Jauvin d'Attainville*

47. Deux études d'après Agnolo Gaddi

48. Intérieur d’une église avec des marbres colorés

49. Une jeune femme tenant un verre et une assiette, d'après Metsu

50. Une draperie posée sur une vasque

51. *Sara la baigneuse*

52. Montage : huit recherches pour divers sujets

Catalogue

1 à 13 : sujets religieux

1. Montage : deux études pour une *Déposition de Croix*

Plume et encre brune. H. 9,3 cm ; L. 12,9 cm (RF 34939).
Plume et encre brune, lavis brun. Trait d'encadrement à la plume et encre brune cintré du haut. H. 6,7 cm ; L. 10,1 cm (max) (RF 34937).

Parmi les sujets envisagés pour le décor de l'église de la Madeleine à Paris, commandé à Delaroche en 1833, la scène de la Déposition de Croix fut conçue de plusieurs manières, la Madeleine étant toujours présente, comme ici à gauche, en déploration devant le corps du Christ, que l'on voit transporté dans un linceul. Les deux approches techniques différentes montrent bien la faculté de Delaroche à varier la conception d'un même sujet, plus descriptive dans le croquis du haut, empreinte d'un puissant lyrisme dans celui du bas ; dans ce dernier, les rehauts de lavis jouent un peu le rôle des hachures dans l'autre, soulignant des zones d'ombre identiques. Le premier biographe de Delaroche, Eugène de Mirecourt (*Les Contemporains. Paul Delaroche*, Paris, 1859, p. 88) a soutenu que « Delaroche peignait de la main droite et dessinait de la main gauche » ; rien dans le sens des hachures ne vient ici soutenir cette étrange assertion.

Horace-Paul Delaroche-Vernet, petit-fils de l'artiste (L. 1302) ; Mme Albert Sancholle-Henraux, née Delaroche-Vernet ; don au Louvre en 1971 (L. 1886a) ; RF 34939 et RF 34937. Nantes-Montpellier, 1999-2000, p. 95, n°s 33f et 33g, repr. (et p. 295).

2. La conversion de sainte Marie Madeleine

Pinceau, lavis brun et aquarelle jaune sur graphite. H. 15,1 cm ; L. 29,7 cm. Cintré du haut. Fragments de papier rapportés par-dessus le dessin primitif, à droite et à gauche. Annoté à la plume et encre brune en haut à gauche : « approuvé / A thiers ».

Le Louvre conserve plus d'une dizaine d'études de compositions complètes inscrites dans des lunettes, adoptant la forme déterminée pour le décor de la nef de la Madeleine. Celle-ci est la seule où Delaroche utilise la pratique de la variante, en rajoutant des fragments de papier qui proposent d'autres groupements que ceux dessinés sur la feuille d'œuvre primitive. On voit la future sainte, encore pécheresse et couronnée de fleurs, qui écoute la prédication du Christ, accompagnée de sa sœur Marie, au centre de la composition. Thiers a paraphé la plupart de ces feuilles en signe d'approbation, sans doute dans les premiers mois de 1835.
Un autre dessin du Louvre, plus grand de taille et mis au carreau, reprend cette composition (RF 35299), tandis qu'une esquisse peinte est conservée à la Wallace Collection (Duffy, 1997, n° 9, repr. p. 72).

Voir n° 1. RF 34969. Duffy, 1997, p. 71 fig. 28 ; Nantes-Montpellier, 1999-2000, p. 91 n° 33a, repr.

3. Marie Madeleine devant le corps du Christ étendu au pied de la Croix

Pinceau, lavis brun et aquarelle jaune sur graphite. H. 14,8 cm ; L. 29,6 cm. Cintré du haut. Annoté à la plume et encre brune en haut à gauche : « approuvé / A thiers » et au graphite en bas au centre : « 22 pouces ».

Il existe au Louvre une autre recherche très proche pour cette même composition (RF 34967), dans laquelle la Madeleine contemple le cadavre du Christ avec une expression d'intense désespoir. Un grand dessin au seul graphite reprend également cette même scène (RF 35302). D'autre part, une autre composition cintrée du haut montre la Madeleine de nouveau les yeux levés au ciel, mais avec un groupe de pleurants à droite et les soldats romains s'éloignant à gauche (RF 35269). Enfin deux études tracées d'une plume rageuse proposent d'autres mises en place pour la même lunette (RF 35265 et RF 34836).

Voir n° 1. RF 34966. Nantes-Montpellier, 1999-2000, p. 96, n° 33i, repr.

4. Homme nu étendu, la tête vers la gauche, et études de bras

Graphite et estompe. H. 19,4 cm ; L. 25,4 cm.

On pourrait rapprocher cette étude posée par un modèle en vue d'un Christ descendu de la Croix du dessin précédent ; mais la position du corps est légèrement différente, et surtout, le graphisme élégant et apaisé indique une œuvre d'époque postérieure. Il est plus probable qu'il s'agisse en fait d'une recherche pour une petite peinture datée de 1853, *L'Ensevelissement du Christ*, aujourd'hui non localisée (Bann, 1997, repr. p. 214), et dans laquelle la Madeleine apparaît au second plan, agenouillée et appuyée contre la Croix. Cette peinture est à l'évidence à rapprocher des petites compositions religieuses de format oblong exécutées à la fin de la vie de l'artiste.

Voir n° 1. RF 34906. Ziff, 1975, p. 167 fig. 12.

5. Feuille d'études de draperies

Graphite et rehauts de craie blanche sur papier gris-beige. H. 25,6 cm ; L. 17,8 cm.

Ces quatre études, d'un raffinement exquis, préparent des détails du vêtement d'une seule et même figure, la Vierge de *La Vierge à la vigne*, tableau exécuté par Delaroche en 1842, acquis par le banquier anglais Baring et aujourd'hui conservé en Inde, au musée de Baroda. Il s'agit en fait d'une représentation d'un *Repos pendant la fuite en Égypte*, avec l'évocation d'une treille de vigne au-dessus de la mère et de l'enfant, allusion prémonitoire au sang versé par le Christ. Le raphaélisme de la composition se retrouve jusque dans l'élégance du tracé du dessin préparatoire, dont on appréciera également l'intelligence de la mise en page, ainsi que l'habileté dans la disposition des rehauts lumineux. L'œuvre peinte, que Ziff juge peu réussie, fut néanmoins popularisée par une gravure de la maison Goupil (Nantes-Montpellier, 1999-2000, p. 308, n° 55a, repr.).

Voir n° 1. RF 34953.

6. Montage : cinq études pour *Hérodiade*

Graphite sur papier beige. H. 15 cm ; L. 23,9 cm (RF 35114) ; H. 17,4 cm ; L. 12,6 cm (RF 35115) ; H. 9,2 cm ; L. 6 cm (RF 35116) ; H. 13 cm ; L. 17,9 cm (RF 35117) ; H. 9,3 cm ; L. 8,2 cm (RF 35118).

Une partie du fonds Delaroche entré en 1971 au Louvre nous est parvenue sous la forme de croquis relatifs à un même sujet et disposés harmonieusement sur de grands cartons minces et souples, de couleur blanchâtre. Il est peu probable que ce soit l'artiste lui-même qui les ait disposés ainsi, mais plus vraisemblablement un de ses héritiers, qui a eu l'intelligence de répartir des arrangements de dessins, souvent trop petits et courant le risque d'être perdus, selon des thèmes précis, ou bien encore selon une relation évidente à telle ou telle composition. Dans le choix restreint de notre ouvrage, on trouvera d'autres exemples de cette même pratique, heureusement préservés dans les portefeuilles du Louvre ; ainsi des planches relatives à *Moïse confié aux eaux du Nil*, *La Folie de Charles VI*, *Béatrice Cenci*, *Charles Ier moqué par les soldats de Cromwell*, ou une autre encore liée au thème des *Adieux de Fontainebleau*. Il arrive également fréquemment que des dessins soient présentés à deux sur un même montage (comme ici notre n° 1).
L'extraordinaire montage pour l'*Hérodiade* de 1843 présente deux particularités. D'une part, certaines figures diffèrent considérablement du tableau de Cologne, notamment celle du bas, vue de face et écartant un rideau – peut-être Delaroche avait-il songé à une autre disposition de sa fameuse composition, où l'on voit la mère de Salomé tournée vers le spectateur tandis que sa compagne soulève une draperie qui révèle le chef décapité de saint Jean Baptiste placé dans un vase à anses.
D'autre part, on remarque qu'un dessin manque sur la planche, qui porte encore la trace du collage vertical de cette feuille ; il se trouve que celle-ci, représentant la servante d'Hérodiade soulevant le rideau, et identifiable par ses dimensions, est conservée dans une collection particulière, et sera exposée à côté du montage du Louvre. L'inscription manuscrite au graphite sur le carton de support atteste que le dessin fut enlevé de la planche pour être offert, sans doute par le petit-fils de Delaroche : « Dessin représentant Hérodiade (*sic !*) levant un rideau / donné à Etus Tarnowska / 12 décembre 1897 ».

Voir n° 1. RF 35114 à RF 35118. Prat, 2011, p. 320 fig. 745.

7. Montage : deux études pour la servante d'Hérodiade

Graphite et rehauts de blanc sur papier gris. H. 23,7 cm ; L. 19,1 cm (RF 35157). Graphite et rehauts de blanc sur papier beige (taches d'huile en bas à droite). H. 25,9 cm ; L. 20 cm (RF 35158).

Voir numéro précédent. Ces deux études présentent un caractère plus monumental que celle enlevée du montage comportant primitivement six dessins pour *Hérodiade*. Le vêtement du personnage dans la peinture correspond davantage à la version sur papier beige, plus complexe mais moins ornée.

Voir n° 1. RF 35157 et RF 35158.

8. Étude pour la servante d'Hérodiade

Graphite sur papier grisâtre. H. 18 cm ; L. 17 cm.

Voir les deux numéros précédents. En se rapprochant de son modèle, Delaroche en change la coiffure, qu'un ruban torsadé, repris à part dans la partie gauche de la feuille, rend soudain beaucoup plus élégante. L'attitude est désormais fixée, avec la main gauche contre le menton, dans une posture méditative mais dénuée d'effroi. Un sentiment identique se dégagera également de la peinture définitive, dans laquelle aucune des deux femmes ne paraît éprouver la moindre attrition. En bas à droite, on distingue la limite du vêtement d'Hérodiade, initiée par une simple diagonale tracée d'un léger graphite.

Voir n° 1. RF 35113. Paris, 1984, p. 2, n° 51, repr.

9. Six études pour la tête de saint Jean Baptiste présentée dans un plat, de profil à droite

Plume et encre brune. H. 28,4 cm ; L. 39,5 cm. Trace de pliure verticale centrale.
Au verso, à la plume et encre brune, deux études de la même tête.

Les variantes entre ces six croquis sont plus sensibles au niveau du récipient, le vase du tableau d'*Hérodiade* devenant ici un simple plat, qu'à celui du visage du saint, presque semblable à chaque fois, et qui évoque irrésistiblement par sa barbe celui de Charles Ier ! La tête du saint martyr est vue légèrement de côté dans la peinture, mais Delaroche choisit de la présenter ici parfaitement de profil.

Voir n° 1. RF 35422.

10. Montage : quatre recherches pour *Moïse confié aux eaux du Nil*

Plume et encre brune, lavis brun ; trait d'encadrement à la plume et encre brune cintré du haut. H. 10,1 cm ; L. 8,2 cm (RF 35213).
Graphite. H. 6,3 cm ; L. 4,6 cm (RF 35214).
Plume et encre brune sur graphite. H. 8,1 cm ; L. 9,8 cm (RF 35215).
Plume et encre brune sur graphite ; trait d'encadrement à la plume et encre brune cintré du haut. H. 9,8 cm ; L. 6,3 cm (RF 35217).

Dès 1842, Delaroche entreprit une première version d'un *Moïse confié aux eaux du Nil*, thème qu'il reprit en 1848 puis en 1853. Les quatre dessins, qui demeurent difficiles à dater, déclinent avec quelques autres tout l'épisode du livre de l'Exode de la Bible, où l'on voit les parents de Moïse se déterminer à confier l'enfant aux eaux afin de le sauver du décret de Pharaon condamnant les enfants de sexe masculin des Hébreux, puis s'éloignant du berceau qui flotte sur le fleuve, jusqu'à ce que la fille de Pharaon découvre le nouveau-né dans les roseaux et l'adopte. Cette réflexion très poussinesque sur le rôle de la prédestination et les

hasards de la fortune est ici menée au fil de charmants croquis extrêmement suggestifs, la jeune mère contrastant avec l'allure plus pesante de son époux.
Un autre dessin du Louvre, lui aussi de dimensions réduites (RF 35212), montre à la fois les parents s'éloignant du lit du fleuve et le berceau dérivant vers la fille de Pharaon qui semble l'attendre, debout entre des arbres.

Voir n° 1. RF 35213; RF 35214; RF 35215; RF 35217. Nantes-Montpellier, 1999-2000, cat. 56b, repr., cat. 94b, repr., cat. 56c, repr., cat. 56a, repr.

11. Feuille d'études pour *La Jeune Martyre*

Graphite et fixatif sur papier beige. H. 21,8 cm; L. 28,1 cm.

Exécutée un an avant sa mort, *La Jeune Martyre* entrée au Louvre en 1895 demeure un des tableaux les plus populaires de Delaroche, d'autant plus que cette image frappante d'une jeune chrétienne mise à mort du temps de Dioclétien fut multipliée par plusieurs gravures, certaines coloriées. Le drame n'est en fait suggéré que par les mains liées (ici joliment étudiées à part) de la jeune fille, qui semble avoir gardé dans la mort toute sa pureté, et dont on comprend mal quelle a été la nature d'un supplice qui l'a laissée immaculée, ainsi que par l'émoi du couple qui contemple la scène depuis le talus surplombant le Tibre. Le Louvre conserve un grand montage (RF 34811 à 34815) qui juxtapose des études pour la jeune femme et d'autres consacrées aux deux personnages de l'arrière-plan. Mais il a paru plus judicieux d'exposer ici l'un des premiers dessins de Delaroche à être entré au Louvre, et qui, de plus, figura dans sa vente posthume de 1857.

Vente Paul Delaroche, Paris, Hôtel Drouot, 12-13 juin 1857, n°92, adjugé 250 francs (L. 662 en bas à gauche); Jules Jauvin d'Attainville (1803-1875); legs au Louvre en 1875 (L. 1886a en bas à gauche). RF 368.

12. Vierge agenouillée de profil à gauche et autoportrait caricatural

Plume et encre brune. H. 21 cm; L. 13,4 cm.
Signé et daté à la plume et encre brune en bas à gauche et au centre : « paul delaroche / 6. juillet 1853 ».

C'est bien sûr la conjonction de deux images parfaitement antithétiques qui étonne et séduit dans cette petite page si expressive. La caricature en bas du dessin, dûment datée, semble bien montrer de façon amusante le peintre épuisé par son labeur. Au-dessus, et sans doute à une date postérieure, Delaroche a utilisé l'espace demeuré vacant pour tracer une figure facilement identifiable; c'est celle de la Vierge regardant par la fenêtre dans le tableau *Vendredi saint* (collection particulière) qui appartient à la série des petites peintures religieuses de format oblong des années 1855-1856, série dont le Louvre conserve *L'Évanouissement de la Vierge* et une étude de chambre vide pour *Vendredi saint*, et le musée départemental de l'Oise à Beauvais *Le Retour du Golgotha*; on doit y ajouter *La Vierge en contemplation devant la couronne d'épines*, connue par une gravure Goupil. Plusieurs auteurs ont insisté sur le sentiment religieux profondément sincère qu'expriment ces petites toiles marquant divers épisodes de la Passion, comme si le peintre lui-même y assistait en spectateur souffrant. Ainsi Louis Ulbach, dès 1857, dans *La Revue de Paris* et surtout Jules Barbey d'Aurevilly, dans un article de la revue *Le Pays* du 21 mai 1857 intitulé « Paul Delaroche, de ses derniers tableaux et de la pensée dans les arts », dont un passage illustre parfaitement l'attitude de la Vierge qui regarde passer par une fenêtre les piques des Romains et une pancarte avec l'inscription INRI, dénotant la présence d'un fils qu'elle ne peut apercevoir : « La Vierge, séparée des autres, la Vierge à genoux devant la fenêtre, se hausse, dans une aspiration d'amour maternel, pour contempler ce que les autres craignent de regarder au fond de cette voie douloureuse. »

Jules Jauvin d'Attainville (1803-1875); legs au Louvre en 1875 (L. 1886a en bas à gauche). RF 370. Bann, 1997, p. 268 fig. 165; Nantes-Montpellier, 1999-2000, p. 260 cat. n°101a, repr.; Prat, 2011, p. 238 fig. 770.

13. Sainte Véronique présentant le voile à un groupe de personnages agenouillés

Plume et encre brune. H. 12,1 cm; L. 17,7 cm.

Dans une petite peinture conservée au Louvre, achevée en 1856, Delaroche montre la Véronique de retour dans sa chambre après la montée au calvaire, au cours de laquelle elle a essuyé le visage du Christ avec un linge sur lequel s'est miraculeusement imprimée la sainte Face; la voici prosternée, ou plutôt anéantie, devant l'image qu'elle découvre, et devant laquelle elle gît étendue, les yeux fermés et les cheveux dénoués.
C'est sans nul doute en tant que grand raconteur d'histoires que Delaroche met ici en scène un épisode postérieur, choisissant de montrer la sainte sortant de sa maison (un espace cubique et semblable à la *cella* d'un temple antique) pour dévoiler à quelques fidèles bouleversés l'image miraculeusement imprimée. Elle la tient à bout de bras – une représentation classique, en sculpture comme en peinture, de Memling à Pontormo et bien d'autres –, préfigurant l'attitude du prêtre pendant l'élévation, mais son visage apparaît chargé d'une intense détermination, que le dessinateur exprime habilement en quelques accents de plume. Si l'épisode représenté ici est chronologiquement postérieur à celui du petit tableau du Louvre, le dessin est sans doute antérieur, exécuté vers 1853 (1847 pour les auteurs de la rétrospective de 1999-2000).

Voir n° 1. RF 34844. Bann, 1997, p. 266 fig. 163; Nantes-Montpellier, 1999-2000, p. 239 cat. 100a, repr.

14 à 39 : sujets historiques

14. Montage : feuille d'études de guerriers nus combattant; feuille d'études de chevaux, de cavaliers et d'une tête d'homme

Graphite. H. 14,4 cm; L. 20,2 cm (RF 34868) et H. 12,9 cm; L. 20 cm (RF 34869).

Fut-ce pour dédommager Delaroche de la mauvaise conduite que lui fit Thiers à propos du décor de la Madeleine que le gouvernement de Louis-Philippe se montra si généreux envers le peintre lorsqu'il lui passa commande en 1838 de pas moins de cinq énormes compositions destinées au Musée historique de Versailles, que le roi des Français conçut comme une illustration nécessaire « à toutes les gloires de la France » ? Des cinq toiles qui devaient décorer la première salle du pavillon du Roi à Versailles et avoir pour sujets *Charlemagne passant les Alpes en 773*, *Charlemagne couronné empereur*, *Le Couronnement de Pépin le Bref*, *Le Baptême de Clovis* et *Pharamond sur le pavois*, on sait que seule la première, toujours conservée à Versailles, fut menée à bien. Elle représente le passage de Charlemagne par le mont Cenis, à la tête d'une armée de Francs, pour aller secourir le pape Adrien Ier menacé par le roi des Lombards, Didier. L'élan insufflé dans la peinture aux cavaliers comme aux combattants d'infanterie, qui progressent de gauche à droite, est scandé par de nombreux troncs d'arbres qui rythment latéralement l'espace ; c'est ce que rend visible l'un de ces dessins préparatoires, où la silhouette d'un des cavaliers est comme coupée en deux par l'arbre derrière lequel il passe. Quant aux têtes de chevaux, étudiées avec beaucoup d'attention, elles ne sont pas sans évoquer celles d'autres grands peintres animaliers de l'époque, Fromentin ou Chassériau.

Voir n° 1. RF 34868 et 34869. Nantes-Montpellier, 1999-2000, p. 78, n° 48b, repr., et p. 303-304, n° 48c.

15. Feuille d'études de chevaux, de cavaliers et de fantassins ; un arbre brisé

Graphite. H. 14,4 cm ; L. 21,9 cm.
Inscriptions au graphite à gauche : « fauve gris clair / noirâtre… / ses crins / de fer pommelé / crins comme la Robe ».

Voir numéro précédent. Outre des recherches pour les soldats francs, on remarque en bas au centre l'étude d'un arbre au tronc brisé ; il réapparaîtra en haut à droite de la peinture, beaucoup plus imposant et orienté en sens contraire.

Voir n° 1. RF 34863. Nantes-Montpellier, 1999-2000, p. 78 cat. 48d, repr., et détail repr. p. 85.

16. Montage de huit dessins : la folie de Charles VI

Graphite et touches de lavis brun pour l'un. H. 15 cm ; L. 26,6 cm (RF 34970) ; H. 7,4 cm ; L. 6,7 cm (RF 34971) ; H. 11,6 cm ; L. 13,5 cm (RF 34972) ; H. 6,5 cm ; L. 6,2 cm (RF 34973) ; H. 8,6 cm ; L. 7 cm (RF 34974) ; H. 5,6 cm ; L. 8,5 cm (RF 34975) ; H. 4,9 cm ; L. 9,5 cm (RF 34976) ; H. 11 cm ; L. 8,6 cm (RF 34977).

Dans cette extraordinaire réunion de croquis déclinant un thème unique en des épisodes différenciés, presque à la manière d'un *storyboard* cinématographique, Delaroche développe autant d'harmoniques sur un thème qu'il n'exploitera pas en peinture, mais auquel il consacrera un dessin plus important, au graphite sur papier verdâtre, encore conservé en collection privée (Londres, 2010, p. 94 fig. 40) : on y retrouve le souverain aliéné (1380-1422), vêtu d'une robe de chambre et appuyé contre son trône vide, soulevant un rideau de la main droite, tandis que l'on devine à gauche comme à droite des courtisans qui n'osent pénétrer dans la salle. Selon Bann (Londres, 2010, *op. cit.*), la source de cette représentation serait à chercher dans l'*Histoire des ducs de Bourgogne* de Prosper de Barante (1824-1826), ouvrage pour lequel Delaroche devait fournir une illustration sur le thème de Jeanne d'Arc (ici n° 17).

C'est probablement le désir d'illustrer les malheurs de la France à la fin du Moyen Âge qui a guidé Delaroche dans le choix de ces deux sujets, tendance que l'on retrouve dans une autre série de dessins également conservés au Louvre (RF 35137 à 35140 ; il en existait encore un autre qui figura au n° 46 de la vente posthume) sur un thème voisin, puisqu'il prend place en 1407, pendant le règne du roi fou : *Le duc de Bourgogne vient de faire connaître au conseil royal qu'il est l'auteur de l'assassinat du duc d'Orléans*.
La folie de Charles VI se manifestait entre autres par sa répulsion devant les fleurs de lys, mais aussi par son incapacité à reconnaître sa femme et ses enfants. Les divers thèmes sont exploités ici, mais leur illustration la plus frappante réside dans une trouvaille iconographique bien digne de Delaroche : un trône vide, dont le souverain n'ose s'approcher, manifestant ainsi la néfaste vacance du pouvoir.

Voir n° 1. RF 34970 à 34977. Londres, 2010, p. 94-97 fig. 41 à 48.

17. Montage : deux études pour *Jeanne d'Arc capturée à Compiègne*

Graphite, mis au carreau au graphite. H. 20,1 cm ; L 16,4 cm (RF 34772)
Aquarelle sur graphite. H. 10,6 cm ; L. 8,7 cm (RF 34773).

C'est pour la cinquième édition de l'*Histoire des ducs de Bourgogne* de Prosper de Barante, publiée avec des planches illustrées en 1837, que Delaroche étudia ce thème de la capture de Jeanne d'Arc par les Anglais. Ce fut le dessin au seul graphite, d'ailleurs mis au carreau pour le transfert, qui fut utilisé, en sens inverse, pour la gravure de James Thompson. L'étude à l'aquarelle doit sans doute être considérée comme une première approche du thème, de dimensions plus réduites. D'une composition à l'autre, beaucoup d'éléments se trouvent modifiés, dont le groupe central lui-même, le cavalier de gauche qui fut d'abord conçu vu de dos puis de face, ce qui met l'accent sur le succès britannique, le cavalier mort du premier plan, etc. Le regard figé et quelque peu frappé d'étonnement de Jeanne dans le dessin au graphite rappelle tout à fait celui de la suivante de Jane Grey dans notre n° 20.
Bien connu de tous, l'épisode (23 mai 1430) illustre encore une fois les malheurs de la France au cours de la guerre de Cent Ans.

Voir n° 1. RF 34772 et 34773. Ziff, 1974 (1977) fig. 15 ; Paris, 1984, n° 32 ; Nantes-Montpellier, 1999-2000, p. 46, nos 43a et 43b, repr.

18. Le jugement de Béatrice Cenci (?)

Graphite. H. 17,8 cm ; L. 24,2 cm.

Si l'on admet que Delaroche a pu exploiter le thème des Cenci comme il l'a fait à bien d'autres occasions, en cherchant à conjuguer les divers épisodes d'un même sujet répartis successivement dans le temps, il n'est pas interdit de voir dans ce dessin une représentation du procès de Béatrice Cenci (1577-1599), avant sa marche au supplice dont Delaroche fit un tableau. C'est en effet ce second sujet auquel l'artiste consacra en 1855 une peinture aujourd'hui perdue, mais popularisée par la gravure de Girardet, dont certains exemplaires sont d'ailleurs coloriés à la gouache.

C'est en septembre 1598, sous le pontificat de Clément VIII, que le patricien romain Francesco Cenci fut assassiné par sa femme, sa fille Béatrice (d'où son surnom de « la Belle Parricide ») et ses frères. Père incestueux, il avait violé Béatrice. L'exécution de Béatrice et de sa belle-mère, Lucrezia Petroni, eut lieu le 11 septembre 1599, à l'aide d'une sorte de guillotine appelée *mannaya*.
La littérature romantique s'est emparée de ce thème (Shelley, Custine, Stendhal, Dumas, Amodello, Dickens, Hawthorne), et plus près de nous Antonin Artaud, dans une pièce dont Balthus fit les costumes et le décor et que Pierre-Jean Jouve célébra dans la *NRF* en juin 1935.
Contrairement au montage de quatre dessins (notre numéro suivant), évidemment en rapport avec ce sujet, l'identification de la scène représentée ici n'est pas certaine ; il pourrait s'agir du procès de Béatrice, agenouillée à droite, devant le pape à qui un personnage à demi agenouillé chuchote à l'oreille. On croit reconnaître les religieux assis de part et d'autre du trône dans une feuille de croquis conservée au Louvre (RF 35055). Mais il pourrait tout aussi bien s'agir du procès criminel d'une autre Italienne de haute naissance, Bianca Capello, immortalisée par le buste que lui consacra la duchesse Colonna, dite Marcello.

Voir n° 1. RF 35054.

19. Montage : quatre études pour *Béatrice Cenci marchant au supplice*

Graphite. H. 22,5 cm ; L. 15,2 cm (RF 34807) ; H. 21,7 cm ; L. 14,9 cm (RF 34808) ; H. 21,2 cm ; L. 16,3 cm (RF 34809) ; H. 21,2 cm ; L. 14,3 cm (RF 34810).

Voir numéro précédent. Trois de ces études concernent non pas la figure de Béatrice Cenci marchant au supplice, dans le tableau perdu de 1855, mais celle de sa belle-mère, également condamnée à mort, et dont le visage est caché par son voile, au contraire de celui de Béatrice. La croix qu'elle tient entre ses mains dans la gravure n'apparaît que dans le dessin en haut à gauche du montage. On remarque, dans le croquis en bas à gauche, l'extraordinaire détail de l'œil gauche de Béatrice, animé d'une sorte de furieuse détermination que l'on ne retrouve pas dans la gravure du tableau, où le visage de la jeune femme isolé en pleine lumière paraît au contraire singulièrement apaisé. La feuille en haut à droite présente des recherches pour la jeune religieuse quelque peu curieuse (la troisième en partant de la gauche), qui ne peut s'empêcher de tourner son regard vers Béatrice.

Voir n° 1. RF 34807 à 34810.

20. Feuille d'études de trois personnages pour *L'Exécution de Lady Jane Grey*

Graphite (partiellement mis au carreau au graphite), estompe et sanguine. H. 23,1 cm ; L. 20,1 cm.

Le Louvre conserve plusieurs dessins liés à *L'Exécution de Lady Jane Grey*, dont le prêt par la National Gallery de Londres doit être considéré comme un véritable événement. Parmi ces recherches graphiques, il faut citer deux études non retenues ici (RF 35134 et RF 35135), la première très proche d'un croquis représentant Jane Grey soutenue par le lord lieutenant et conservé quant à lui au British Museum (1999.0514.54). On trouve également au Louvre un extraordinaire petit croquis très charbonneux représentant des valets descendant par un escalier le cercueil encore vide de la future suppliciée (RF 35136), précédés du lord lieutenant.
La feuille présentée ici concerne trois des personnages du tableau, mais leur aspect diffère de celui finalement retenu. Le bourreau apparaît nu-tête, ne porte ni poignard ni corde au côté, et il n'y a pas d'écusson sur son épaule ; la suivante assise à terre garde les yeux ouverts, comme hébétée, et sa position est inversée par rapport à celle retenue dans la peinture. Quant à la jeune femme debout, dessinée à la sanguine, elle est ici plutôt vêtue comme une servante, et coiffée d'un simple chignon.

Horace-Paul Delaroche-Vernet, petit-fils de l'artiste (L. 1302 en bas à droite) ; don au Louvre en 1887 (L. 1886a en bas à gauche). RF 1727. Paris, 1984, p. 2, n° 36, repr. ; Londres, 2010, p. 133 fig .71 ; Prat, 2011, p 325 fig. 758.

21. Montage : deux feuilles d'études pour *L'Exécution de Lady Jane Grey*

Traces de sanguine, graphite et estompe sur papier beige. H. 23 cm ; L. 27 cm (RF 35132) et H. 21,3 cm ; L. 28,4 cm (RF 35133).
Annotation au graphite en haut du second dessin : « La dauphine et Louis 17 / au Temple ».

Voir numéro précédent. L'une des feuilles est entièrement consacrée à des recherches pour l'attitude du bourreau. Delaroche avait d'abord utilisé pour cette figure un modèle au visage plus rustre, que l'on retrouve dans une aquarelle éponyme conservée à la Whitworth Art Gallery de Manchester, légèrement antérieure au tableau (1832).
Dans l'autre feuille, Delaroche, comme à son habitude, évoque plusieurs moments successifs de l'épisode envisagé : en bas au centre, Jane Grey, soutenue par une suivante, est encore debout et prie, les mains jointes levées vers le ciel. Les autres croquis présentent des variantes pour l'ensemble de la scène, la suivante vue de dos et le bourreau. Le plus étonnant détail est constitué par l'intrusion, en haut de cette feuille d'études, d'une minuscule mise en place très aboutie et cernée d'un trait d'encadrement, dévolue à un tout autre sujet, que l'artiste ne transformera pas en peinture : on y voit les deux enfants de Louis XVI, la duchesse d'Angoulême et le futur Louis XVII, enfermés au Temple dans une même cellule. De ces deux enfants emprisonnés, tels les fils d'Édouard d'Angleterre, un seul, on le sait, survivra, Louis XVII ayant probablement disparu au cours de la Révolution. C'est là encore une illustration de la brutalité de l'Histoire, instrument d'une menace qui pèse sur les têtes couronnées et leur famille.

Voir n° 1. RF 35132 et 35133. Bann, 1997, p. 120 fig. 55 et 56 ; Nantes-Montpellier, 1999-2000, p. 41 cat. 20b et 20i, repr. ; Londres, 2010, p. 130 fig. 66 et p. 134 fig. 72.

22. Douze scènes d'époque Renaissance et une étude de tête

Graphite et estompe ; chaque scène est entourée d'un trait d'encadrement au graphite. H. 16,5 cm ; L. 29,9 cm.

Un tel dessin, où d'un visage féminin ne subsiste que le regard, le reste étant dissimulé par des vignettes historiques, ne pourrait-il s'intituler *Un œil sur l'Histoire* ? Les douze petites scènes disposées sur trois registres horizontaux, chacun décrivant quatre épisodes, doivent

correspondre à l'illustration de divers moments d'une même histoire. On croit reconnaître parmi les personnages Henri III (registre du bas) et Catherine de Médicis (en haut à droite), et il n'est pas impossible que les deux premières scènes en haut à gauche évoquent la Saint-Barthélemy. On sait d'autre part, grâce à une identification de Stephen Bann, que Delaroche a représenté dans un croquis en mains privées la scène finale d'*Henri III et sa cour*, d'Alexandre Dumas (1829) ; mais à l'évidence la séquence figurée ici n'a rien à voir avec le déroulement de cette pièce, non plus qu'avec un autre drame célèbre du même Dumas, *La Reine Margot*, adaptation écrite avec l'aide d'Auguste Maquet à partir de son populaire roman éponyme.
Le premier biographe de Delaroche, Eugène de Mirecourt, a avancé que l'artiste dessinait ses compositions à l'aide de modèles en cire, un peu à l'instar de Poussin et de sa boîte à perspective. Mais rien de tel n'est perceptible ici, non plus que dans les autres dessins de l'artiste.

Voir n° 1. RF 34775. Nantes-Montpellier, 1999-2000, p. 286 cat. 11c, non repr. ; Prat, 2011, p. 321 fig. 746.

23. Richelieu remontant le Rhône

Aquarelle et gouache sur plume et encre brune. H. 15,5 cm ; L. 27,5 cm.
Signé et daté à la plume et encre brune à droite sur la proue du bateau : « Delaroche 1826 ».

La peinture de *Richelieu remontant le Rhône* (Londres, Wallace Collection) constitua l'un des succès de Delaroche au Salon de 1831. Elle mettait en scène le cardinal-ministre, proche de sa fin, ramenant vers Lyon le favori du roi Louis XIII, le grand écuyer Cinq-Mars, et son ami de Thou pour y être décapités après avoir été convaincus de haute trahison, ayant comploté avec l'Espagne contre la politique du cardinal. Toute la littérature romantique a fait son miel de la cruauté impitoyable de celui-ci, et l'on se souviendra du cri de Marion de Lorme à la fin de la pièce éponyme de Victor Hugo (1831) : « Voilà l'homme rouge qui passe ! » Dans la peinture de 1831, c'est en effet – et non par hasard – le rouge qui domine, à l'intérieur de la tente qui recouvre la barge de Richelieu, dans les motifs du tapis qui traîne dans l'eau du fleuve, et dans le ciel rougeoyant, annonciateur de la nuit et de la mort.
Il est fascinant de mettre en relation peinture et aquarelle, cette dernière étant datée de cinq ans avant l'autre, ce qui correspond à la date à laquelle fut publié le roman *Cinq-Mars* d'Alfred de Vigny, que Delaroche semble avoir suivi de très près : l'écrivain va jusqu'à comparer Richelieu au « batelier des Enfers » traînant derrière lui « Castor et Pollux » ! Stephen Duffy a pieusement décompté les variantes entre dessin et tableau, mais c'est surtout sur le plan de la tonalité d'ensemble que l'aquarelle paraît moins dramatique. Les visages des deux condamnés semblent également plus expressifs, mais moins jeunes dans celle-ci. Cependant, dans l'une ou l'autre œuvre, on demeure frappé par le parallélisme voulu entre les deux barges, qui amène irrésistiblement à une autre comparaison, celle qui réunit pour les opposer deux êtres encore pleins de vie et un vieillard déjà presque saisi par la mort.

Collection Coutan-Hauguet-Schubert-Milliet ; don au Louvre en 1883 (L. 1886a en bas à droite). RF 1453. Ziff, 1974 (1977), fig. 37 ; Duffy, 1997, p. 44 fig. 15 ; Prat, 2011, p. 323 fig. 753.

24. Montage : huit études pour *Charles Ier moqué par les soldats de Cromwell*

Graphite ; pour deux dessins, trait d'encadrement au graphite. H. 10,8 cm ; L. 8,4 cm (RF 35060) ; H. 11,3 cm ; L. 6,4 cm (RF 35066) ; H. 11 cm ; L. 8,3 cm (RF 35064) ; H. 7,5 cm ; L. 8,4 cm (RF 35065) ; H. 7,4 cm ; L. 9 cm (RF 35061) ; H. 11 cm ; L. 7,8 cm (RF 35068) ; H. 8,7 cm ; L. 14,9 cm (RF 35069) ; H. 10,7 cm ; L. 11,5 cm (RF 35070).

La grande toile du Salon de 1837, *Charles Ier moqué par les soldats de Cromwell,* a longtemps été crue perdue à la suite d'un bombardement sur Londres pendant le Blitz, le 11 mai 1941. La peinture (près de quatre mètres de long) se trouvait dans la salle à manger de Bridgewater House, demeure des lords Ellesmere. Elle fut alors atteinte par plus de deux cents éclats de bombe. Roulée et transportée en Écosse, elle ne fut remise à plat qu'en 2009 et se trouve actuellement en cours de restauration.
Invisible, l'œuvre demeurait cependant célèbre grâce aux gravures de la maison Goupil, non seulement de l'ensemble de la composition (par Achille Martinet), mais aussi d'après plusieurs figures isolées. L'épisode représenté se situe en 1649 dans la maison de sir Robert Colton, où le roi déchu fut assigné à résidence pendant son procès à Whitehall. Quatre reîtres entourent le roi martyr, celui de gauche lui soufflant à la figure la fumée de sa pipe, celui de droite élevant un verre au-dessus de sa tête, un troisième endormi au premier plan sur la table, et le quatrième, coiffé d'un haut chapeau huguenot, le contemplant, les mains posées sur son épée. Derrière ce groupe, deux hommes à l'allure moins plébéienne considèrent la scène, de même que le valet du roi, Thomas Herbert, appuyé contre la colonne d'une cheminée à l'extrême droite. Enfin, un groupe de quatre personnages apparaît, discutant entre eux sans se soucier de l'action principale, devant une fenêtre grillagée au fond à gauche de la composition.
Chacun se souvient du titre du chapitre LXIII de *Vingt ans après* de Dumas : « Salut à la Majesté tombée ! » En contrepoint, c'est une parodie de salut que dépeint ici Delaroche, et l'ensemble considérable de dessins préparatoires montre avec quel soin il a médité cette représentation d'une humiliation d'autant plus pénible qu'elle anticipe un supplice.
Il est donc remarquable de découvrir dans cette planche, outre les études pour certains des acteurs de la scène, aisément identifiables, deux motifs où Charles Ier apparaît cette fois debout, quasiment seul (en haut à gauche) ou entouré (registre médian, à gauche) d'une foule moqueuse, descendant un escalier à double révolution, dans une disposition qui pourrait évoquer, sans surinterprétation, celle d'un *ecce homo*.

Voir n° 1. RF 35060 et 35061, RF 35064 à 35066 et RF 35068 à 35070.

25. Étude d'ensemble pour *Charles Ier moqué par les soldats de Cromwell*

Graphite. Trait d'encadrement au graphite. H. 14,4 cm ; L. 17,8 cm.

Voir numéro précédent. Nous avons choisi de retenir cinq études (dont quatre sont des montages) d'après les nombreuses que conserve le Louvre, liées au *Charles Ier moqué*. Ce beau dessin isolé est, quant à lui, relativement éloigné de la composition finale : le roi n'est entouré que de deux tourmenteurs, alors qu'un autre garde s'avance depuis la droite, un peu comme s'il surveillait la scène. L'espace de celle-ci a été considérablement modifié, puisque la cheminée et le valet Herbert sont ici à gauche. À droite au fond, une porte s'ouvre sur des curieux contenus par un autre garde armé d'un fusil. On aperçoit au fond un trône vide surmonté d'un dais, symbole auquel Delaroche renonça probablement au profit de la vérité historique, puisque le roi était détenu dans une demeure privée. Le contraste entre le caractère achevé de certaines figures (dont celle, particulièrement christique, du souverain) et l'aspect esquissé des deux tourmenteurs contribue à la dramatisation de la scène.

Voir n° 1. RF 35067. Nantes-Montpellier, 1999-2000, p. 49 cat. 37c, repr.

26. Montage : deux études pour *Charles Ier moqué par les soldats de Cromwell*

Graphite. H. 17,4 cm ; L. 11,9 cm (RF 35062) et H. 4,4 cm ; L. 10,2 cm (RF 35063).

Voir les deux numéros précédents. Le croquis d'en haut est remarquable en ceci qu'il a été posé par un modèle dont Delaroche restitue les traits, renonçant momentanément à ceux du roi, dont la posture est pourtant étudiée ici. La position des mains tenant le livre est conforme dans les deux dessins à celle choisie dans la peinture.

Voir n° 1. RF 35062 et 35063. Nantes-Montpellier, 1999-2000, p. 50 cat. 37d et p. 51 cat. 37c, repr. ; Prat, 2011, p. 324 fig. 757.

27. Montage : deux études pour *Charles Ier moqué par les soldats de Cromwell*

Graphite. H. 14,8 cm ; L. 10,8 cm (RF 34874) et H. 13,4 cm ; L. 17,9 cm (RF 34876).

Voir les trois numéros précédents. Les deux feuilles concernent le même personnage, le cavalier « Tête ronde » assis à droite et regardant la scène, les mains croisées sur la garde de son épée ; mais ce détail n'apparaît que sur le second dessin, puisqu'au contraire, dans le premier, il s'appuie des deux mains sur la table avec un air de mécontentement. Ses pieds reposent sur un des chenets de la cheminée. Les deux études de mains, où de multiples variantes sont proposées, montrent à quel degré de sûreté graphique Delaroche est capable de parvenir dans le rendu des plus petits détails.

Voir n° 1. RF 34874 et 34876. Nantes-Montpellier, 1999-2000, p. 39 cat. 37j, repr., et p. 49 cat. 37i, repr.

28. Montage : deux études pour *Charles Ier moqué par les soldats de Cromwell*

Graphite. H. 13,3 cm ; L. 12,9 cm (RF 34881) et H. 19,5 cm ; L. 9,8 cm (RF 34883).

Voir les quatre numéros précédents. Dans le dessin d'homme debout, on reconnaît la figure du valet du roi, Thomas Herbert, les mains crispées en signe de détresse, assistant impuissant à la scène. Delaroche insistera sur la coloration très sombre de son costume dans la peinture.
L'étude pour l'homme ivre ou endormi sur la table au premier plan est exécutée avec une grande précision ; il semble que Delaroche ait pensé à faire figurer sa main droite dépassant de la nappe, dans un détail isolé, mais il y a finalement renoncé.

Voir n° 1. RF 34881 et 34883. Bann, 1997, p. 153 fig. 85. Nantes-Montpellier, 1999-2000, p. 298 fig. 37k, repr.

29. Henriette de France se cachant des soldats de Cromwell

Graphite. Trait d'encadrement au graphite. H. 14,8 cm ; L. 12,7 cm.

Poursuivant, vers 1830, l'exploitation de sujets fournis par la guerre civile anglaise, Delaroche élabore deux croquis (voir RF 35127) sur un sujet rarement traité en peinture : la fille d'Henri IV, Henriette de France, séparée de son époux Charles Ier et protégée par un unique gentilhomme, doit se dissimuler au passage d'une troupe de cavaliers « Têtes rondes » de Cromwell. Le visage de la souveraine exprime une inquiétude proche de la terreur, tandis que celui de son compagnon, qui s'accroche à la racine de l'arbre sous lequel les fugitifs ont trouvé refuge, est traité avec une certaine malice. La source de l'anecdote ne se trouve pas dans *Vingt ans après*, bien qu'Henriette y apparaisse à plusieurs reprises, appelant les mousquetaires au secours de son royal époux. Mais le roman (1845) est de toute façon probablement bien postérieur au dessin.
Encore une fois, Delaroche impose son sens inné du récit, disposant dans la même image la fugitive que recouvre une cape obscurcie de lourds accents noirs et, au second plan, surplombant la scène comme une menace, la troupe qui défile, vue de dos. L'image suscite un étonnant sentiment de dangerosité, et qui semble annoncer les pratiques du septième art à venir.
Une gravure de ce sujet, par Delaroche et Béranger, fut exécutée en 1841.

Voir n° 1. RF 35126. Bann, 1997, p. 158 fig. 87 ; Nantes-Montpellier, 1999-2000, p. 51 cat. 44, repr. ; Prat, 2011, p. 324 fig. 756.

30. Puget dévoilant devant Louis XIV son *Milon de Crotone*

Graphite. H. 25,3 cm ; L. 21,5 cm.

Les commandes pour les plafonds de la seconde partie du musée Charles-X au Louvre furent passées à la fin de 1828 à Alaux, Drölling, Heim, Steuben, Coignet, E. Fragonard et Delaroche ; à ce dernier fut confié le sujet de *Puget dévoilant devant Louis XIV son* Milon de Crotone. Mais, dès novembre 1829, l'artiste renonçait à ce projet qui fut réalisé par Eugène Devéria, dont l'œuvre, toujours en place, décore la troisième salle de la galerie Campana. Le présent dessin et le suivant doivent donc dater du début de 1829.
L'épisode représenté est fictif, Puget n'ayant jamais présenté sa sculpture au roi à Versailles. Delaroche, comme Devéria et la plupart des décorateurs du musée Charles-X, ont choisi pour un plafond une composition en forme de tableau vertical, sans aucun effet illusionniste. Le même reproche sera fait à *L'Apothéose d'Homère* d'Ingres, présentée en 1827 dans la même suite de salles.
Si Delaroche place la scène en bas des Cent-Marches, du côté de l'Orangerie, Devéria laissera apparaître à côté du palais la chapelle ; le *Milon de Crotone*, achevé en 1682, est représenté par les deux artistes pratiquement sous le même angle. Mais, chez Devéria, le roi se trouve quasiment à sa hauteur, et non, comme ici, en dessous du groupe sculpté. On retrouve chez certains des courtisans des attitudes proches de celles qu'ils adopteront un peu plus tard dans le *Mazarin mourant* de la Wallace Collection.

Voir n° 1. RF 35166. Ziff, 1974 (1977), fig. 29 ; Ziff, 1975, p. 163 fig. 1 ; Paris, 1984, n° 33 ; Nantes-Montpellier, 1999-2000, p. 285 cat. 10, repr.

31. Vue de l'escalier des Cent-Marches à Versailles

Graphite et estompe. H. 26,5 cm ; L. 19,8 cm.

Voir numéro précédent. L'étude a été réalisée sur le motif, Delaroche s'étant rendu sur place pour repérer l'emplacement qu'il utiliserait comme fond d'un tableau qui ne fut jamais mené à terme. Il semble s'agir ici de l'escalier de gauche des Cent-Marches, alors que la scène fut finalement conçue en bas de celui de droite. La délicatesse de toucher du dessinateur fait de cette étude bien plus qu'un simple relevé topographique.

Voir n° 1. RF 35165.

32. Montage : deux études allégoriques

Plume et encre brune, lavis brun. H. 15,3 cm ; L. 15,4 cm (RF 35074) et H. 14,9 cm ; L. 11,7 cm (RF 35076).
Trait d'encadrement à la plume et encre brune sur trois côtés (pour l'un). Trait d'encadrement à la plume et encre brune, ovale ou rectangulaire à coins abattus pour les deux autres croquis.

C'est en 1827, au moment de l'ouverture du musée Charles-X au Louvre, que fut décidée la création du musée de la Marine, qui prit le nom de musée Dauphin, en hommage au duc d'Angoulême. Le musée devait subsister au Louvre jusqu'en 1937. Les plafonds furent confiés à Blondel, Vinchon, Couder et Horace Vernet, mais ce dernier se désista bientôt en faveur de son futur gendre, Paul Delaroche, à qui échut de représenter *La France déplorant la perte de La Pérouse*, plafond qui ne fut jamais exécuté et dont seuls témoignent les deux dessins présentés ici et sous notre numéro suivant.
Le navigateur français La Pérouse (1741-1788), après de nombreuses découvertes dans le Pacifique, fut tué par des indigènes dans l'île de Vanikoro, près de l'Australie. Les vestiges du naufrage furent retrouvés en 1826, et l'œuvre correspondait donc à une véritable actualité. Dans cette première recherche, peu lisible, on croit distinguer des génies volants qui emportent le corps du héros sur un arrière-fond de mâts et de gréements. Le propos s'éclaircira dans le dessin suivant.
Sur le même montage, on trouve deux ravissants croquis sur le thème du martyre ou de la résurrection d'une sainte, qu'un ange semble bénir ou couronner.

Voir n° 1. RF 35074 et 35076. Paris, 1984, partie du n° 34 ; Nantes-Montpellier, 1999-2000, p. 287 cat. 13a (repr. inversée).

33. La France déplorant la perte de La Pérouse

Graphite et sanguine. H. 26,5 cm ; L. 26,6 cm.
Triple trait d'encadrement circulaire au graphite.

Voir numéro précédent. L'aspect platonnant du projet est plus sensible ici, avec les deux figures éplorées s'éloignant du spectacle désolant du naufrage. Celui-ci est dramatiquement évoqué par le contraste entre les énormes rochers contre lesquels viennent se drosser les navires de l'expédition et la petitesse des figures des marins, à peine des têtes d'épingles confrontées à la fureur des vagues. Une étude de naufrage, sans doute un dessin, proche par l'esprit de la scène représentée ici, mais avec bien moins d'ampleur, a été gravée par Goupil en 1858 sous le nom de Delaroche (cat. exp. Nantes-Montpellier, *op. cit.*, p. 212, n° 78a, repr.).
Le Louvre conserve également un autre dessin de forme circulaire (RF 35163), dans lequel les figures volantes survolent une mer calme que borde un rivage où l'on devine le cadavre du navigateur.

Voir n° 1. RF 35159. Ziff, 1974 (1977), fig. 31 ; Ziff, 1975, p. 164 fig. 3 ; Paris, 1984, partie du n° 34.

34. Feuille d'études de figures pour *Les Vainqueurs de la Bastille*

Graphite. H. 20,6 cm ; L. 16,8 cm.
Inscription au graphite en bas à droite : « Masson. Rue du four St G 54 / Lamoureux Rue Mazarine 76 ».
Au verso, au graphite, études de figures.

Les Vainqueurs de la Bastille, grand tableau de format presque carré, conservé au musée du Petit-Palais à Paris, demeure l'une des toiles les plus curieuses de Delaroche. Il semble qu'il ait été commandé en 1830 par le préfet de la Seine, mais achevé seulement neuf ans plus tard. Également intitulé dans sa version gravée *Journée du 14 juillet 1789*, il représente en fait un épisode aussi bizarre par son choix qu'étrange par la façon dont Delaroche l'a rendu : le moment où les émeutiers reviennent à l'hôtel de ville de Paris et y entrent par la porte principale, ce qui a amené l'artiste à faire figurer nombre de personnages de dos, à l'instar de ce dessin où l'on voit certains d'entre eux porter les fruits du pillage qui a suivi la chute de la forteresse. Dans la peinture, la figure centrale est celle d'un jeune soldat porté en triomphe, couronné de lauriers et tenant les clefs de la citadelle. Près de lui, un père et sa fille blessée dans l'action forment un groupe qui a été préparé par un dessin à la pierre noire relevée de pastel, récemment passé en vente (Paris, Hôtel Drouot, 12 avril 2008 n° 122, repr. coul.), de facture assez pesante. Il existe également une aquarelle gouachée de l'ensemble de la composition, avec bien des variantes, elle aussi passée en vente (Christie's, New York, 27 mai 1983, n° 241, repr.).
Les inscriptions portées sur le dessin correspondent aux adresses des modèles utilisés, pratique habituelle aux ateliers de l'époque.
Le verso du dessin concerne les personnages appuyés sur une balustrade à l'extrême gauche de la scène.

Voir n° 1. RF 35097.

35. Scène de la Révolution française

Graphite. Trait d'encadrement au graphite pour une partie du sujet. H. 14,5 cm ; L. 16,4 cm.

Nous proposons d'identifier cette scène, demeurée jusqu'ici sans explication, avec un épisode de l'*Histoire des Girondins* de Lamartine publiée en 1847 : au cours des massacres de septembre 1792, la fille du gouverneur des Invalides, Mlle de Sombreuil, accepta de boire un verre de sang à la santé de la Nation pour sauver la vie de son père au moment où il comparaissait devant un tribunal révolutionnaire. Il paraît certain que c'est en effet un verre que tend l'homme coiffé d'un bonnet phrygien debout devant la table à la jeune femme éperdue qui s'en saisit, et c'est sans doute le père que l'on distingue vaguement à droite, assis à terre. Delaroche a fait de la même scène une autre esquisse conservée également au Louvre (RF 35059), et dans laquelle il a tracé au-dessus de la scène un minuscule plan montrant la pièce vue d'en haut, tout à fait à la manière d'un scénographe, avec la table précisément disposée en diagonale.

Le même épisode sera représenté un peu plus tard par un autre artiste français, qui lui consacrera en 1853 l'un de ses premiers tableaux : il s'agit de Pierre Puvis de Chavannes, dont la peinture est conservée au musée des Beaux-Arts d'Angers. Le courage de la jeune fille avait également été célébré par Hugo comme par Michelet, et plusieurs autres artistes se sont emparés de ce spectaculaire sujet (Marcel Verdier, Lacauchie, Isabey, Boilly, ainsi qu'Ary Scheffer en gravure).

Voir n° 1. RF 35058.

36. Feuille d'études pour *Le Dernier Adieu des Girondins*

Graphite. H. 19,3 cm ; L. 25,6 cm.

C'est certainement la même *Histoire des Girondins* de Lamartine (1847) qui constitue la source du tableau achevé par Delaroche l'année même de sa mort en 1856 et déposé par le musée Carnavalet à la Conciergerie. Les deux hommes s'étaient rencontrés à Rome en 1844 et Delaroche avait alors crayonné un portrait du poète (vente Paris, Hôtel Drouot, 25 avril 1997, n° 58, repr.) que celui-ci offrit à Duclerc, ministre des Finances de la IIe République ; l'image fut gravée par la maison Goupil.

Les Jacobins et les Montagnards triomphèrent des Girondins, jugés trop modérés et de tendance fédéraliste, dès juin 1793, lorsque la Convention décréta d'arrestation Brissot et ses fidèles. Ils furent exécutés le 31 octobre suivant (10 brumaire an II), et c'est à cette date que Delaroche a choisi de les représenter, au moment où ils sont appelés dans une salle de la Conciergerie, vers midi, pour marcher à la mort.

Sur ce dessin, certains des personnages s'étreignent en un dernier adieu, tandis qu'un autre répond à l'appel en levant le bras, évoquant le geste quasi unanime des prestataires du serment du Jeu de paume, plus de quatre ans auparavant. Entre-temps, la Révolution, selon le mot de Saint-Just, s'est « glacée », et la guillotine est promise aux vingt et un conventionnels représentés ici, le plus grand nombre de futurs décapités que Delaroche ait jamais réunis en une seule composition…

Voir n° 20. RF 1729.

37. Feuille d'études de cavalier et de muletier

Graphite et estompe. H. 14,2 cm ; L. 20,8 cm.
Au verso, au graphite, étude pour *Sainte Véronique* (1856, Louvre). Trait d'encadrement au graphite cintré du haut.

Il est difficile d'ajouter quelque élément à la savante étude d'Élisabeth Foucart-Walter (*op. cit.*) sur le *Bonaparte franchissant les Alpes* de 1848, entré au Louvre avec une planche de dessins préparatoires en 1982. On sait à quel point Delaroche souhaita respecter la vérité historique en représentant le Premier consul non pas, comme l'avait voulu David, « calme sur un cheval fougueux », mais en fait monté à dos de mulet. Le visage inquiet du futur empereur a lui aussi fait couler beaucoup d'encre, et certains ont cru y voir l'annonce de ses futures défaites, ce qui n'aurait rien d'étonnant pour Delaroche, qui s'attacha surtout (voir les deux numéros suivants) à la figure du conquérant vaincu.

Bien d'autres dessins préparatoires à ce tableau sont donc conservés au Louvre (RF 39000 à 39009) et dans l'un d'eux (RF 39005) on trouve un Bonaparte à cheval, vu de trois quarts à gauche, et d'allure bien plus majestueuse que dans le tableau. Ici, dans une feuille dont on appréciera la mise en page mesurée et élégante, Bonaparte n'apparaît pas ; Delaroche s'est attaché à la figure du cavalier, celui qui gravit la pente derrière Bonaparte, la tête baissée face à la bourrasque, ainsi qu'au muletier qui guide le futur vainqueur de Marengo.

Horace-Paul Delaroche-Vernet, petit-fils de l'artiste (L. 1302 en bas à droite). Paris, galerie de Bayser ; don au Louvre en 1991 (L. 1886a en bas à gauche). RF 42994. Bann, 1997, p. 266 fig. 164 (pour le verso) ; Prat, 2011, p. 328 fig. 771.

38. Montage : six études pour *Napoléon à Fontainebleau*

Graphite (et sanguine pour l'un). Trait d'encadrement au graphite. H. 9,2 cm ; L. 6 cm (RF 35122) ; H. 16,6 cm ; L. 10,9 cm (RF 35123) ; H. 8,3 cm ; L. 3,4 cm (RF 35126) ; H. 8 cm ; L. 5,9 cm (RF 35121) ; H. 9,8 cm ; L. 7,4 cm (RF 35120) ; H. 8,8 cm ; L. 6 cm (RF 35119).

Napoléon passionnait Delaroche, au point qu'il cultivait dans sa coiffure une légère ressemblance physique avec l'Empereur, comme le suggère son *Autoportrait* dessiné de 1848 conservé à Paris au musée Hébert. Aussi peignit-il du grand homme plusieurs effigies rétrospectives : d'abord, en 1838, le *Napoléon dans son cabinet*, commandé par la comtesse de Sandwich et récemment réapparu en vente publique (Sotheby's, New York, 26 mai 1994, n° 13, repr. coul.), puis, en 1845, *Napoléon à Fontainebleau*, méditant sur son abdication le 31 mars 1814 (versions à Leipzig, Museum der Bildenden Künste, et au musée de l'Armée à Paris).

Dans le contexte du même très court séjour bellifontain, Delaroche s'est contenté d'avoir recours au dessin pour évoquer, à travers les projets présentés ici, le moment des *Adieux*. Dans quatre des croquis, on assiste à la scène fameuse où l'Empereur déchu dit adieu à sa Garde en embrassant son drapeau et son général (signalons qu'un ami proche de Delaroche peindra cet épisode ; il s'agit de Montfort, dont il fera un portrait dessiné, ici n° 44). Un cinquième croquis est consacré à un officier en pleurs. Le sixième dessin présente deux images conjointes : d'une part, évoquée à la sanguine, une femme entourée d'enfants, thème bien souvent conjugué par notre artiste ; et, d'autre part, un Napoléon lauré et victorieux, juché sur un socle, image qui tient à la fois du projet de sculpture et de tableau, puisqu'une bordure de cadre est dessinée autour de deux des côtés de l'effigie triomphale.

Voir n° 1. RF 35119 à 35124. Nantes-Montpellier, 1999-2000, p. 61 nos 71a et b, repr. ; p. 62 n° 71c, repr. ; p. 316 n° 71e, repr., et nos 71d et f, non repr.

39. Montage : deux études pour *Napoléon à Sainte-Hélène*

Graphite. H. 21,5 cm ; L. 17 cm (RF 34784). Trait d'encadrement au graphite. Douze lignes d'annotations illisibles au graphite sur le rocher.
Plume et encre brune, lavis brun. H. 10,3 cm ; L. 7,6 cm (RF 34786). Trait d'encadrement à la plume et encre brune.

Sur le mur de l'atelier de Delaroche était dessinée au fusain une représentation de Napoléon à Sainte-Hélène. Un autre dessin de ce sujet, proche de celui exécuté ici au graphite, fit l'objet d'une gravure de la maison Goupil. Dans tous les cas, le côté prométhéen du personnage est évidemment souligné par son isolement comme par l'amoncellement de rochers qu'il domine. Ici, dans l'étude au graphite, on distingue à gauche un grenadier tenant un drapeau ; le croquis à la plume, quant à lui, privilégie l'ombre, le mystère, l'enfouissement du personnage dans une nature minérale et hostile.

Voir n° 1. RF 34784 et RF 34786. Bann, 1997, p. 256 fig. 157 ; Nantes-Montpellier, 1999-2000, p. 62, n° 91a et p. 63 n° 91b, repr. ; Prat, 2011, p. 328 fig. 772.

40 à 42 : hémicycle de l'école des beaux-arts

40. Étude d'ensemble pour l'hémicycle de l'École des beaux-arts

Plume et encre brune, et quelques traits au graphite. H. 4,4 cm ; L. 19,7 cm. Trait d'encadrement à la plume et encre brune.

Voir notre introduction pour un bref examen de la genèse de l'hémicycle. Cette rapide conception d'ensemble (le Louvre en conserve une autre encore plus schématique, au graphite, dans laquelle un plan vu de dessus examine la disposition des degrés sur lesquels siègent les personnages) est exécutée d'une main extraordinairement à l'aise dans la petitesse des figures, pourtant bien caractérisées par leurs attitudes changeantes. On voit qu'au centre, le parti pris n'est pas encore très clarifié, des personnages se mêlant autour d'une figure unique qui semble dominer la scène.

Voir n° 1. RF 35176. Nantes-Montpellier, 1999-2000, p. 109 n° 38c, repr. ; Prat, 2011, p. 326 fig. 764.

41. Groupe de treize artistes

Graphite et légers rehauts de blanc sur papier beige. H. 14,8 cm ; L. 16,6 cm.

La disposition du groupe est presque conforme à celle de la partie à l'extrême gauche de la peinture, comme le montre le trait d'encadrement vertical qui indique à gauche la limite de la composition ; de gauche à droite s'échelonnent le Corrège, Véronèse, Antonello de Messine (qui portera dans la peinture un spectaculaire collant rayé), Van Eyck assis, un personnage qui sera déplacé entre Titien et Rembrandt et qui doit être Ter Borch, puis Murillo, le Titien, Rembrandt, Van der Elst, Rubens assis, Vélasquez, Van Dyck et le Caravage. On devine à droite la tombée du manteau de Giovanni Bellini.

Voir n° 1. RF 35317. Nantes-Montpellier, 1999-2000, p. 114 n° 38k, repr.

42a, b, c et d. Quatre études de personnages pour l'hémicycle : Fra Angelico, Rembrandt, Brunelleschi, Léonard de Vinci

Graphite et estompe. H. 28 cm ; L. 16,4 cm (RF 35339) ; H. 28,1 cm ; L. 16,1 cm (RF 35341) ; H. 23 cm ; L. 16,8 cm (RF 35342) ; H. 23,2 cm ; L. 19 cm (RF 35345).

La modernité des visages des modèles qui ont posé pour des artistes qui ne leur ressemblent pas contraste avec leurs costumes d'époque. Il existe pour Fra Angelico une autre étude, plus complète, conservée au Louvre (RF 35316), avec un vêtement différent. Dans ces quatre dessins, Delaroche traite les draperies avec une particulière habileté, usant tout à tour de l'estompe et de fermes accents pour marquer certains plis.

Voir n° 1. RF 35339, RF 35341, RF 35342 et RF 35345. Nantes-Monpellier, 1999-2000, p. 114 n° 38m et p. 118 n° 38r, repr.

43 à 46 : portraits

43. *Portrait de M. Coutan*

Graphite, estompe et rehauts de pastel. H. 33,1 cm ; L. 23,9 cm.
Signé et daté au graphite en bas au centre : « Paul Delaroche 1826 » et annoté en bas à gauche : « Portrait de monsieur Coutan ».

Louis-Joseph-Auguste Coutan (1779-1830) est bien connu dans le monde du dessin, non seulement parce qu'il fut l'un des principaux marchands de tableaux sous la Restauration, mais aussi parce que sa collection d'œuvres graphiques, passée ensuite à ses héritiers, entra en partie au Louvre en 1883 ; il posséda notamment de nombreux dessins d'Ingres et de Géricault, de Prud'hon et du baron Gros. Le reste de la collection fut dispersé en vente à Paris les 16 et 17 décembre 1889, et la marque L. 464 se retrouve sur nombre de dessins encore en circulation.
Delaroche a représenté son ami de manière frontale, se détachant, comme il le fait d'habitude, sur un fond ombré à l'estompe. Empathie envers le modèle et intérêt psychologique se conjuguent pour faire de ce portrait l'un des plus réussis de Delaroche.
De la même année 1826 date un très beau portrait de Casimir Delavigne, auteur à qui l'on a souvent comparé notre artiste, dessin relevé de pastel récemment réapparu dans le commerce d'art.

Voir n° 23. RF 1452. Prat, 2011, p. 321 fig. 474.

44. *Portrait d'Antoine-Alphonse Montfort*

Graphite, estompe, sanguine et rehauts de pastel sur papier beige. H. 28,5 cm ; L. 24 cm. Dédicacé et signé au graphite en bas au centre : « a son ami Montfort / Paul Delaroche ».

Le peintre orientaliste Antoine-Alphonse Montfort (1802-1884) est intéressant à plus d'un titre. S'il est proche de Delaroche parce qu'il a été l'élève d'Horace Vernet, il est aussi connu pour avoir été un compagnon de Géricault, dont il a d'ailleurs évoqué l'agonie dans un dessin conservé au Louvre (RF 5217). Grand voyageur, il a laissé de ses multiples voyages, notamment en Syrie, de très nombreux dessins et aquarelles dont le Louvre conserve plus d'un millier d'exemples. Comme d'habitude, Delaroche porte toute son attention sur le visage du modèle et sur la main qui le soutient, mettant en valeur l'alliance à l'annulaire avec une extraordinaire insistance. Le reste du corps est pratiquement délaissé, tandis que le buste est entouré d'un sombre halo estompé qui projette la figure en avant.

Don de Georges Montfort, fils du modèle, au Louvre en 1917 (L. 1886a en bas à droite). RF 4385. Prat, 2011, p. 321 fig. 748.

45. *Portrait de M. Feuillet*

Graphite, estompe et rehauts de pastel sur papier beige. H. 32,6 cm ; L. 26,7 cm.
Dédicacé et signé au graphite en bas au centre : « A mon cher cousin Feuillet / Paul Delaroche ».

Pour ce beau portrait largement conçu, Delaroche utilise la même technique que dans ses effigies précédentes, faisant se détacher la tête et le buste du modèle sur un large champ de hachures au graphite resserrées et adoucies ensuite par l'estompe.

Voir n° 20 (L. 1886a en bas à droite). RF 1726. Paris, 1984, n° 53.

46. *Portrait de Jules Jauvin d'Attainville*

Graphite sur papier crème. H. 25,9 cm ; L. 19,2 cm.
Signé, localisé et daté au graphite à droite à mi-hauteur : « Paul Delaroche / Carabacel 1854 ».

Ce portrait d'un ami de Delaroche, Jules Jauvin d'Attainville (1803-1875), qui légua au Louvre des œuvres d'Hébert et de Lami – deux proches de Delaroche, ce qui montre qu'il appartenait certainement à ce cercle relationnel –, fut le premier dessin de l'artiste à entrer au Louvre, avec un *Autoportrait* de Delaroche de profil et trois autres feuilles. Delaroche fréquentait d'Attainville à Nice où il fit de nombreux séjours, comme l'indique la localisation du dessin, Carabacel étant un quartier de Nice en bas de la colline de Cimiez.
Par rapport aux portraits précédents, le trait est moins ferme, et surtout, si la pratique de détailler davantage le visage et le haut du corps est maintenue, le modèle ne se détache plus sur un fond sombre qui lui conférerait davantage de relief.
La même année 1854, Delaroche réalisa au cours de son séjour niçois un dessin représentant *La Reine Marie-Antoinette séparée de ses enfants* (Potron, *op. cit.*, p. 37), enfants que l'on retrouve seuls dans notre n° 21. C'est dans cette même ville qu'il se plaisait à fréquenter les cercles élégants de la princesse de Beauvau-Craon (dont d'Attainville possédait un portrait par Ernest Hébert, également légué au Louvre) et de la comtesse Potocka.

Voir n° 12. RF 366. Paris, 1984, n° 55 ; Potron, 2001, p. 37.

47 à 52 : *varia*

47. Deux études d'après Agnolo Gaddi

Aquarelle sur graphite. H. 19,4 cm ; L. 30 cm.

« J'irai faire mon noviciat en Italie », écrivit Delaroche à son ami Delaborde peu après avoir obtenu la commande du décor de la Madeleine fin 1833. Pour lui qui avait rapidement renoncé aux épreuves du prix de Rome, alors qu'elles auraient pu lui ouvrir les portes de la Villa Médicis, cette expérience était surtout destinée à se pénétrer de l'art des artistes du Trecento et du Quattrocento florentins, dont il voulait retrouver le mélange de naïveté et de spiritualité qu'il entendait appliquer à la conception des décors de la nef de la Madeleine. Le Louvre ne conserve que peu d'exemples de cet apprentissage sur le motif : deux copies d'après les fresques d'Agnolo Gaddi à San Miniato al Monte au-dessus de Florence (retable de la nef centrale exécuté vers 1394-1396). L'une des aquarelles reprend *Le Baiser de Judas* (RF 35052) et l'autre ces deux figures, d'après le tableau d'autel avec les histoires de la Passion dans la chapelle du Crucifix.

Voir n° 1. RF 35053. Paris, 1984, n° 37 ; Nantes-Montpellier, 1999-2000, p. 78, n° 31, repr.

48. Intérieur d'une église avec des marbres colorés

Aquarelle sur graphite. H. 23,8 cm ; L. 32,5 cm.

Étude exécutée en Italie pendant le séjour de 1834-1835, peut-être à San Miniato al Monte dont le décor en marbre coloré est très semblable. La structure représentée évoque de loin celle qui sera adoptée quelques années plus tard pour l'hémicycle de l'École des beaux-arts : un degré central à partir duquel se développent deux ailes de pierre. Mais il ne s'agit peut-être que d'une coïncidence.

Voir n° 1. RF 35420.

49. Une jeune femme tenant un verre et une assiette, d'après Metsu

Graphite et estompe. H. 12,1 cm ; L. 15,7 cm.
Annotations au graphite autour du dessin : « Rouge / Bordure Velours Noir / boutons or / ... laine / natte de cheveux / Rouge / Velours noir / Effilé de ... / Rouge / Velours Rouge / Broche Rouge / or / Soie Rouge clair / Soie noire / Metzu. Carlsruhe. »

C'est en 1849 que Delaroche visite les principautés allemandes et s'arrête à Karlsruhe où il copie ce détail du *Jeune Couple prenant un petit déjeuner* de Gabriel Metsu, entré dans les collections de la margravine Louise de Bade-Durlach en 1763, avec d'autres œuvres de peintres à la facture lisse et soignée, comme Ter Borch ou Mieris ; c'est précisément ce genre de métier délicat et appliqué que ses critiques reprocheront à Delaroche.
Dans la peinture, la jeune femme tient de la main gauche un long verre effilé qui n'est ici qu'évoqué. Elle est vêtue d'une jupe noire et d'un justaucorps rouge et son visage est comme ici assez figé.

Voir n° 1. RF 34790. Ziff, 1975, p. 166 fig. 8.

50. Une draperie posée sur une vasque

Graphite. H. 19 cm ; L. 30,5 cm.

La Jeune Fille dans une vasque, toile inachevée de 1844-1845 conservée au musée des Beaux-Arts et d'Archéologie de Besançon, a été conçue à Rome, et l'on y reconnaît facilement la vasque toujours en place devant l'entrée de la Villa Médicis. Le Louvre conserve plusieurs croquis, certains minuscules, pour cette étrange composition, qui montre étendue dans la vasque une jeune femme nue à l'expression quelque peu boudeuse, une lyre posée derrière elle. Le motif central est encadré par les pins du Pincio à l'arrière-plan. On considère généralement que c'est la mort de Louise Vernet (qui n'en est sans doute pas le modèle) qui détacha l'artiste de ce sujet quelque peu érotique avant qu'il ne l'ait achevé. C'est sans doute le plus ingresque d'esprit des tableaux de notre artiste.
Dans la peinture, la draperie sert de support au corps de la jeune femme, qu'elle isole ainsi de la froideur de la pierre. Delaroche a décrit ici ce tissu comme étant relativement épais, alors qu'il laisse transparaître dans le tableau le dessin des marbres au sol qu'il recouvre en partie.

Voir n° 1. RF 35088. Nantes-Montpellier, 1999-2000, p. 313 n° 66d.

51. *Sara la baigneuse*

Plume et encre brune, lavis brun. H. 9,3 cm ; L. 9,9 cm.

Sara, belle d'indolence / Se balance / Dans un hamac, au-dessus / Du bassin d'une fontaine / Toute pleine / D'eau puisée à l'Ilyssus / Et la frêle escarpolette / Se reflète / Dans le transparent miroir / Avec la baigneuse blanche / Qui se penche / Qui se penche pour voir.
Les deux premières strophes du poème XIX des *Orientales*, « Sara la baigneuse », que Victor Hugo date lui-même de juillet 1828, suffisent à faire comprendre le lien étroit entre ce texte, long en fait de vingt strophes, et la peinture de Delaroche datée de 1845 et conservée au musée des Beaux-Arts de Nantes, intitulée souvent *Jeune Fille à la balançoire* ou, plus vraisemblablement, du titre même du poème hugolien.
Cependant, la peinture montre une jeune fille pudiquement vêtue d'une robe blanche et se balançant au-dessus d'un tapis de plantes. En revanche, un minuscule dessin à la plume, en collection particulière, nous la dévoile au-dessus d'un miroir d'eau. Ici, la figure correspond bien à celle décrite par Hugo, « qui sort d'un bain au flot clair ». L'usage du lavis est remarquablement habile dans ce dessin de petites dimensions, laissant deviner la transparence du voile humide qui recouvre le bas du corps de la jeune fille, mais insistant également sur la sombre profondeur des frondaisons à l'arrière-plan. En haut à droite se devine une étude à la plume qui doit évoquer le bras gauche de la jeune femme passant autour du drap de la nacelle, mais vue cette fois de face.

Voir n° 1. RF 35075. Nantes-Montpellier, 1999-2000, p. 222 n° 69a, repr.

52. Montage : huit recherches pour divers sujets

Plume et encre brune, lavis brun ; graphite. Traits d'encadrement à la plume et encre brune et au graphite. H. 9,8 cm ; L. 18,4 cm (RF 35256) ; H. 12,8 cm ; L. 20,8 cm (RF 35257) ; H. 16,2 cm ; L. 13,2 cm (RF 35258) ; H. 16,8 cm ; L. 15,5 cm (RF 35259) ; H. 17 cm ; L. 8,2 cm (RF 35260) ; H. 9,1 cm ; L. 9,5 cm (RF 35261) ; H. 8,7 cm ; L. 12,7 cm (RF 35262) ; H. 11,2 cm ; L. 9,4 cm (RF 35263).
Annotation à la plume et encre brune en bas du RF 35258 : « la poésie la peinture et les sciences chassées de la France / par l'envie, la haine et la discorde.et la guerre civile. »

Ce grand montage illustre parfaitement la richesse des capacités imaginatives de Delaroche, explorant sans cesse des idées nouvelles, dont aucune de celles développées ici ne sera exploitée en peinture. Le motif principal avec des annotations manuscrites est sans doute lié aux angoisses ressenties par l'artiste au cours du développement de la révolution de 1848, et constitue probablement une allusion aux journées de Juin, qui, de leur côté, avaient tellement effrayé Ingres.
Le groupe de personnages en costume Louis XIII pourrait être rapproché de très loin du *Mazarin mourant* de la Wallace Collection. Les groupes de mères et d'enfants dans des encadrements rappellent le goût de l'artiste pour ces scènes de maternité heureuse, tout comme l'étude à la plume où deux mères se retrouvent entourées d'une multitude de bambins. L'étude de deux personnages descendant un escalier (avec le plan de la vis de l'escalier vue du dessus !) pourrait évoquer, mais là encore de très loin, le thème des *Enfants d'Édouard*. Le personnage assis seul dans une cathèdre serait-il un Faust, un Thomas More ou un Louis XI ?
La feuille la plus étonnante est certainement celle où Delaroche étudie un *tondo* représentant un soldat en armure près de sa femme et de son enfant ; la mise en page rappelle un peu celle du chef-d'œuvre du musée des Beaux-Arts de Nantes, *L'Enfance de Pic de La Mirandole* (1842) ; mais ici, on voit que le tout petit enfant n'est pas attiré par la connaissance, mais, comme doit le souhaiter son guerrier de père, par les armes. En une succession étonnante de trois minuscules croquis (il en existe un quatrième à la bibliothèque de Cessole à Nice ; voir Potron, 2001, *op. cit.*, repr. p. 41) tracés d'une plume acérée en bas de l'image, Delaroche le détaille, jouant avec le pommeau de l'épée paternelle ; dans le croquis du centre, le motif se trouve isolé de telle façon que l'enfant semble véritablement s'empaler sur l'épée. L'ambiguïté de l'image est patente, qui témoigne de l'imagination fulgurante d'un dessinateur qui n'a pas toujours su, ou pas toujours souhaité, la domestiquer.

Voir n° 1. RF 35256 à 35263.

Bibliographie sommaire (depuis 1974)

Bann, 1997 : S. Bann, *Paul Delaroche: History painted*, Londres et Princeton, 1997.

Bann, 2004 : S. Bann, « Paul Delaroche à l'hémicycle de l'École des beaux-arts. L'histoire de l'art et l'autorité de la peinture », *Revue de l'Art*, 2004-4, n° 146, p. 21-34.

Boyer, 1996 (1998) : S. Boyer, « La peinture de Paul Delaroche à l'École des beaux-arts », *Bulletin de la Société de l'histoire de l'art français*, 1996 (1998), p. 155-170.

Duffy, 1997 : S. Duffy, *Paul Delaroche 1797-1856. Paintings in the Wallace Collection,* Londres, The Wallace Collection, 1997.

Foucart-Walter, 1984 : E. Foucart-Walter, « Paul Delaroche et le thème du *Passage du Saint-Bernard par Bonaparte* », *La Revue du Louvre*, n°s 5-6, 1984, p. 367-384.

Julia, 1995-1996 : I. Julia, notices Paul Delaroche dans cat. exp. *Les Années romantiques*, Nantes-Paris-Plaisance, 1995-1996, p. 372-375.

Londres, 1975 : « Delaroche and Gautier. Gautier's views on the *Execution of Lady Jane Grey* and other compositions by Delaroche », Londres, National Gallery, 1975 (texte de Cecil Gould).

Londres, 2010 : *Painting History. Delaroche and Lady Jane Grey*, Londres, National Gallery, 2010 (textes par Stephen Bann et Linda Whiteley, avec John Guy, Christopher Riopelle et Anne Robins).

Nantes-Montpellier, 1999-2000 : *Paul Delaroche, un peintre dans l'Histoire*, Nantes, musée des Beaux-Arts, Montpellier, pavillon du musée Fabre, 1999-2000 (sous la direction de Claude Allemand-Cosneau et Isabelle Julia).

Paris, 1984 : *Hommage à Paul Delaroche (1797-1856)*, Paris, musée Hébert, 1984 (textes de Arlette Serullaz et Isabelle Julia).

Potron, 2001 : J.-P. Potron, « Les séjours du peintre Paul Delaroche au quartier Carabacel, 1848-1854 », *Nice historique*, janvier-mars 2001, n° 1, p. 30-41.

Prat, 1997 : L.-A. Prat, « Deux dessins pour *Les Enfants d'Édouard* : Bonvin ou plutôt Delaroche (1797-1856) », *La Revue du Louvre et des musées de France,* 1997, n° 2, p. 67-70.

Prat, 2011 : L.-A. Prat, *Le Dessin français au XIXe siècle*, Paris, 2011, p. 320-328.

Rouen, 1983 : *La Jeanne d'Arc de Paul Delaroche, Salon de 1824*, Rouen, musée des Beaux-Arts, 1983 (texte par Marie-Pierre Foissy-Aufrère).

Ziff, 1974 (1977) : N.D. Ziff, *Paul Delaroche: A Study in Nineteenth Century French History Painting,* Ann Arbor, 1974 (1977).

Ziff, 1974-1975 : N.D. Ziff, notices Paul Delaroche dans cat. exp. *De David à Delacroix*, Paris-Detroit-New York, 1974-1975, n°s 43-44, p. 386-390.

Ziff, 1975 : N.D. Ziff, « Dessins de Paul Delaroche au Cabinet des dessins du musée du Louvre », *La Revue du Louvre*, 1975, n° 3, p. 163-168.

Crédits photographiques

© 1994 Musée du Louvre / Arts Graphiques, Dist. RMN : p. 41
© 2007 Musée du Louvre / Martine Beck-Coppola, Dist. RMN : p. 52
© 1999 Musée du Louvre / Pierre Philibert, Dist. RMN : p. 2
© RMN / (Musée du Louvre) Michèle Bellot : p. 30
© RMN (Musée du Louvre) / Jean-Gilles Berizzi : p. 50, p. 58
© RMN / (Musée du Louvre) Thierry Le Mage : p. 27, p. 33, p. 42-43, p. 51, p. 61, p. 64-65
© RMN (Musée du Louvre) / Thierry Ollivier : couverture, p. 22-26, p. 28-29, p. 31-32, p. 34-40, p. 45-49, p. 53-57, p. 59-60, p. 62-63, p. 66-73
© RMN (Musée du Louvre) / Franck Raux : p. 44
© The National Gallery, Londres, Dist. RMN / National Gallery Photographic Department: p. 6

Cet ouvrage est imprimé sur papier couché Satimat Naturel 170g (papier certifié FSC® Mix ; n° FSC-C021878) pour l'intérieur
et sur papier couché Chromomat 300g (papier certifié FSC® Mix ; n° FSC-C021878) pour la couverture

Photogravure : Fotimprim, Paris

Achevé d'imprimer sur les presses de l'imprimerie freiburger graphische betriebe (Fribourg-en-Brisgau), en février 2012
Imprimé en Allemagne

Dépôt légal : mars 2012